Cut the Chat

Terminologie de l'économie

Collection dirigée par Henri Bouillon

Blavier-Paquot, S., *Espagnol – Français, Français – Espagnol*
Bouillon, H., *Allemand – Français, Français – Allemand*
Kiehm, F., *Néerlandais – Français, Français – Néerlandais*
Lieutenant-Simon, S., *Japonais – Anglais – Français, Français – Anglais – Japonais, Anglais – Français – Japonais*
Pieters, L., *Anglais – Français, Français – Anglais*

À paraître

Spinette, A., *Italien – Français, Français – Italien*

Hors collection

Labarre, Ch., Bossuyt, L., *Cut the Chat, Faux amis et mots perfides, Anglais – Français*

Labarre/Bossuyt

Cut the Chat

Faux Amis et Mots perfides Anglais-Français

203 av. Louise - 1050 Bruxelles

Diffusion
France : ÉDITIONS UNIVERSITAIRES,
77, rue de Vaugirard, F-75006 Paris
Suisse : GM DIFFUSION
27, Chemin du Grant Mont, CH-1052 Le Mont-sur-Lausanne
Zaïre : AFRIQUE ÉDITIONS
606, avenue Colonel Ebeya, Kinshasa/Gombe

Printed in Belgium

D 1988/0074/246 ISBN 2-8041-1139-3

Préface

FAUX AMIS, FAUX FRERES, MOTS-PIEGES, MOTS-SOSIES – en anglais *FALSE FRIENDS* ou *DECEPTIVE COGNATES* : autant d'étiquettes connues pour désigner des mots d'origine commune dont l'orthographe est ressemblante, voire identique, dans deux ou plusieurs langues, mais dont les sens sont partiellement ou totalement différents.

Nous y avons ajouté le terme *MOTS PERFIDES*. Il s'agit là de mots de provenances diverses qui ont également une apparence de déjà-vu mais qui peuvent néanmoins occasionner des difficultés de compréhension.

Ils sont d'autant plus pernicieux qu'une traduction erronée ne prive pas nécessairement la phrase de sens. Considérons un instant les exemples suivants :

{ She will comme EVENTUALLY
= Elle viendra *par la suite*

{ He PASSED his examination
= Il a *réussi* son examen

{ An ENERVATING climate
= Un climat *débilitant*

{ His CONVICTION caused rioting
= Sa *condamnation* a provoqué des émeutes

La traduction de ces exemples donne fréquemment lieu à des contresens. Bien souvent donc, le lecteur francophone passe à son insu à côté du véritable sens de la phrase anglaise, et rien ne lui met la puce à l'oreille, puisque sa traduction garde un sens.

Mais il y a plus perfide : NURSERYMAN est un *pépiniériste*, STEWARD peut également signifier *intendant* ou *économe*, tandis qu'aux Etats-Unis, EXTERMINATOR signifie *employé de la désinfection*. Ces mots paraissent cependant inoffensifs à première vue.

Les faux amis ne sont pas l'apanage des relations franco-anglaises. Ils existent également à l'intérieur d'une même langue, où le sens d'un mot peut varier dans le temps et dans l'espace : en français du XVIIe siècle, COEUR signifiait aussi *courage*, ETONNE voulait dire *profondément bouleversé* et TOUT A L'HEURE *tout de suite*. On trouve de telles différences de sens dans l'anglais d'aujourd'hui notamment entre le sens britannique et le sens américain d'un même mot. Citons entre autres l'exemple classique de CORN (*blé* en Grande-Bretagne et *maïs* aux Etats-Unis); FIRST FLOOR désigne tout naturellement le *premier étage* en Grande-Bretagne, mais le *rez-de-chaussée* aux Etats-Unis, tandis que la petite histoire nous relate qu'au cours de l'un de leurs fréquents entretiens pendant la seconde guerre mondiale, Churchill et Roosevelt faillirent en venir aux mains au sujet de l'opportunité de préparer une offensive commune alors qu'ils étaient en fait parfaitement d'accord : l'origine du malentendu était l'expression TO TABLE THE PLANS qui signifie au pays natal de Shakespeare *soumettre les plans à la discussion*, et outre-Atlantique en *ajourner la discussion*. Notons au passage que pour certains termes le fossé se comble peu à peu. Ainsi BILLION avait le sens français en Grande-Bretagne, mais avait pris le sens de *milliard* aux Etats-Unis; Le mot s'utilise actuellement en Grande-Bretagne dans son acception américaine.

Le francophone trouvera également de nombreux cas de mots trompeurs dans d'autres langues, notamment en espagnol (SALIR = *sortir*; CONTESTAR = *répondre*; CONSTIPADO = *enrhumé*), en italien (LONTANO = *loin*; DIVISA = *uniforme*; IL TRENO SI FERMA = *le train s'arrête*) ou en allemand (ETAT = *budget*; RAPPEL = *lubie*; WESTE = *gilet*).

Notre ouvrage s'adresse essentiellement au lecteur francophone ou au traducteur de l'anglais vers le français. Il ne nous a dès lors pas paru nécessaire d'indiquer le genre des noms français. Comme son titre l'indique, le lexique n'est pas destiné aux anglophones qui étudient le français et qui seraient confrontés à une toute autre liste de faux amis. On peut en effet distinguer quatre types de situations sémantiques :

1 *Les faux amis complets*

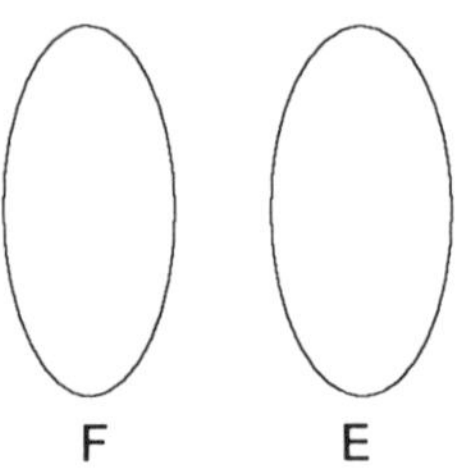

Les sens anglais et français sont totalement différents : le mot anglais ne peut jamais se traduire par son (quasi-) homographe français et vice-versa.
Dans ce cas, nous nous sommes attachés, afin de satisfaire la curiosité légitime du lecteur, à proposer la correction de l'erreur induite.
Ainsi, ACTUAL ne signifie jamais *actuel*, mais bien *réel*, *effectif*. Le français *actuel* devrait se rendre en anglais par CURRENT, PRESENT.

Il va de soi que cette traduction français–anglais est donnée à titre de dépannage immédiat et ne remplace pas un bon dictionnaire traductif.

Comme d'autre part l'ouvrage ne s'adresse pas à des débutants, nous n'avons pas estimé nécessaire de retraduire les mots très élémentaires.

D'autres exemples de mots appartenant à cette catégorie seraient : DILAPIDATION, *délabrement*; ISSUE, *édition*; to RUE, *se repentir*; PROPRIETY, *bienséance*; TRIVIAL, *futil*; VIRGULE, *barre oblique*.

2 *Il y a recouvrement de sens plus ou moins grand*

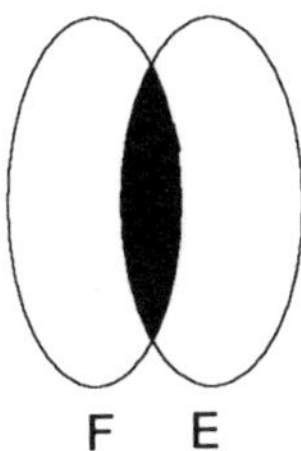

Les sens sont parfois les mêmes (en mathématique, on parlerait d'intersection), mais chacun des deux mots s'étend dans un champ sémantique différent. Seul le contexte peut guider le traducteur.

Ainsi, EVENTUAL ne signifie que très rarement *éventuel*; SYMPATHETIC n'a le sens de *sympathique* qu'en anatomie.

3 *Le sens est plus étroit en français qu'en anglais*

Il s'agit dans notre liste du cas de loin le plus fréquent. Ainsi, STOCK peut signifier outre *stock*, *réserve*, *provision*, aussi *action (en Bourse)*, *valeurs*, *titres*, *cheptel*, *tronc*, *souche*, etc... SEQUENCE signifie également *ordre*, *suite*, *succession*, *numéro de danse*; RELIEF, en plus du sens géographique identique au français, exprime l'idée de *soulagement*, etc...

4 *Le sens est plus étroit en anglais qu'en français*

Les mots qui appartiennent à cette catégorie sortent du cadre de cet ouvrage, car il ne s'agit de faux amis que pour l'anglophone.

Ainsi, TABLEAU ne s'emploie jamais en anglais qu'au sens figuré, THEME signifie *sujet*, mais jamais *traduction*, tandis que PARQUET n'est jamais utilisé dans un sens judiciaire.

Ils n'apparaissent donc pas dans la liste, vu qu'ils n'induisent pas le lecteur francophone en erreur.

La confusion possible provient de la similitude orthographique, jamais de la prononciation. Nous avons dès lors considéré que les transcriptions phonétiques qui se trouvent dans tout dictionnaire général étaient ici sans objet.

Les très nombreux faux amis et mots perfides anglais auxquels se trouve confronté le lecteur francophone appartiennent à l'une des trois catégories suivantes :

1 les mots qui par *pure coïncidence* s'écrivent de la même façon tout en ayant des origines et/ou des natures grammaticales différentes :

   ex. : AN, OR, FOUR, MINE, OURS, etc...

   Ceux-ci ne posent guère de problèmes et ils ne sont généralement pas repris dans notre ouvrage.

2 les mots d'*origine latine* entrés en Angleterre lors de la conquête normande.
   Au XIe siècle, la Normandie se trouvait aux confins du monde roman. Aux frontières linguistiques, les langues ont tendance à conserver des archaïsmes (c'est notamment le cas du wallon ou du flamand).
   Après la conquête normande, les nouveaux maîtres du pays, minoritaires, se sont repliés sur eux-mêmes, et leur français s'est figé, alors qu'en France il continuait à évoluer librement. C'est un phénomène que l'on peut par ailleurs constater dans l'évolution divergente de certains mots français, anglais ou espagnols de part et d'autre de l'Atlantique : une fois coupée du pays d'origine, une langue a tendance à évoluer beaucoup moins vite. Elle devient le dépositaire de la tradition.

   Pour ce qui est de l'anglais contemporain, on constate essentiellement :
   a qu'il a conservé le *sens primitif latin*:

      DECEPTION = *tromperie, fraude*
      RESUME = *reprendre*

   b qu'il a conservé des *acceptions tombées en désuétude* en français moderne :

      PREJUDICE = *préjudice*, mais plus souvent : *préjugé*
      SEQUEL = *séquelle*, mais plus souvent : *suite*

   c qu'il a *évolué différemment*:

      ESTABLISHMENT = *les classes dirigeantes*
      PURCHASE = *acheter, acquérir*

3 *Les mots anglais passés récemment en français* où ils ont pris un sens différent de leur langue d'origine, soit à cause de la disparition du second élément (*living* vient de LIVING-ROOM, *basket* de BASKETBALL, *snack* de SNACK BAR), éventuellement associée à la survivance d'un sens plus ancien (*smoking* est le diminutif de SMOKING-JACKET, terme à présent désuet), soit parce que le français s'est abusivement inspiré de l'anglais (*slip*, *speaker*, etc...).

L'inverse existe d'ailleurs aussi : le mot français RESUME a pris aux Etats-Unis le sens de *curriculum vitae* et CORTEGE ne s'emploie que pour un *cortège funèbre*; TABLE D'HOTE désigne un *repas à prix fixe*.

Il nous resterait à saluer celui qui fit oeuvre de pionnier en la matière : Maxime KOESSLER, qui, dès 1928, attirait l'attention sur ce phénomène préoccupant dans un admirable ouvrage intitulé *Les faux amis ou les pièges du vocabulaire anglais*. Se plaçant dans une perspective diachronique, M. KOESSLER s'est attaché à montrer comment au fil des siècles un même mot d'origine latine avait pu acquérir progressivement un sens différent de part et d'autre de la Manche.

Nous avons pour notre part abordé ce sujet sous un angle sensiblement différent : notre ouvrage, volontairement plus technique, se situe dans une perspective synchronique et ne se limite donc pas aux seuls mots d'origine latine.

Nous osons espérer que ce manuel rendra service aux nombreuses personnes qui sont appelées quotidiennement à lire de l'anglais général, scientifique, technique ou commercial, en les aidant à éviter les contresens.

Nous tenons à remercier nos nombreux collègues pour les précieuses suggestions dont ils nous ont fait part. Nous serions par ailleurs reconnaissants à tous les lecteurs de nous communiquer leurs remarques et leurs critiques. Il en sera tenu le plus grand compte dans les éditions ultérieures.

Nous aimerions enfin exprimer notre plus profonde gratitude à Monsieur Joseph ANTOINE, Directeur général de l'Instruction Publique de la Ville de Bruxelles, pour son soutien et ses encouragements, ainsi qu'à Monsieur Roger VAN DAMME, Directeur de l'Institut d'Enseignement Supérieur Lucien Cooremans et aux responsables du département d'informatique de ce même établissement pour l'aide inestimable qu'ils nous ont apportée dans la mise sur traitement de texte de cet ouvrage.

Les Auteurs

ABANDON (n)	laisser-aller, relâchement, abandon
– with gay abandon	– avec une belle désinvolture
ABANDONED (adj)	dévergondé, dépravé; abandonné (avec volupté)
– abandoned behaviour	– comportement immoral
	(F) abandonné = (E) relaxed, (usine) disused
ABATE (v)	diminuer d'intensité, faiblir
– the wind abated	– le vent tomba
	(F) abattre = (E) (chose) to pull down, (personne) to slaughter
	(F) abattu = (E) depressed
ABATEMENT (n)	baisse, diminution
– noise-abatement campaign	– campagne contre la pollution par le bruit
	(F) abattement = (E) dejection, low spirits
ABDUCT (v)	enlever, kidnapper
– the police think the boy has been abducted	– la police pense que le garçon a été kidnappé
ABDUCTION (n)	enlèvement, rapt
ABERRANT (adj)	dévoyé, égaré du droit chemin; anormal
	(F) c'est aberrant = (E) this is nonsense
ABERRATION (n)	écart de conduite; aberration
– a moment of aberration	– un moment d'égarement

ABHORRENT (adj) répugnant; contraire, incompatible
- the killing of animals is abhorrent to many children – beaucoup d'enfants ont horreur que l'on tue des animaux

ABILITY (n) aptitude, capacité
- I am looking for a job more suited to my abilities – je cherche un travail qui convienne davantage à mes aptitudes

(F) habileté = (E) skill, cleverness

ABNEGATION (n) désaveu, reniement; abnégation

ABRASION (n) écorchure, éraflure; (technique) abrasion
- he was suffering from multiple abrasions – il souffrait de ses nombreuses éraflures

ABRIDGE (v) abréger; restreindre, diminuer
- the abridged version of a novel – la version condensée d'un roman

ABRIDGEMENT (n) abrégé, précis, résumé; limitation
- abridgement of liberty – restriction de liberté

ABSTAIN (v) s'abstenir (en faisant un effort) d'une mauvaise habitude
- he is a total abstainer – il ne boit que de l'eau
- she tries to abstain from smoking – elle essaie de ne plus fumer

(F) s'abstenir de = (E) to refrain from

ABSTRACT (n) résumé, abrégé; analyse
- abstract of accounts – extrait de compte

ABSTRACT (v) faire abstraction de; résumer; extraire par distillation; dérober, détourner, soustraire

ABSTRACTED (adj) distrait
- he was so abstracted that he did not notice anything of what was happening – il était tellement absorbé qu'il ne remarqua rien de ce qui se passait

ABSTRACTION (n) extraction; détournement, vol; absence d'esprit; abstraction
- a fit of abstraction – un moment de distraction

ABUSE (n)

- he greeted me with a stream of abuse

emploi abusif, abus; dommages, dégradations, mauvais traitements; insultes, injures

- il m'accueillit avec un flot d'injures

(F) abus = (E) abusage; overindulgence

ABUSE (v)

- she abused him roughly for his neglect

injurier; dire du mal de

- elle l'insulta brutalement pour sa négligence

(F) abuser de = (E) to take advantage of, to misuse, to overuse

ABUSER (n)

détracteur

ABUSIVE (adj)

- an abusive letter

injurieux, grossier; abusif

- une lettre d'injures

(F) abusif = (E) excessive, improper

ACADEMIA (n)

le monde universitaire

(F) académie = (E) learned society; academy

ACADEMIC (adj)

académique; universitaire

ACADEMIC (n)

professeur d'université

ACCEPTABLE (adj)

- her conversation was most acceptable

acceptable; agréable; bienvenu, opportun

- sa conversation était des plus agréables

ACCEPTATION (n)

acception, signification; approbation

(F) acceptation = (E) acceptance

ACCESS card (n)

carte de crédit

ACCESSARY (US: -ORY) (n)

- accessary to murder

complice

- complice d'un meurtre

(F) accessoires de toilette = (E) toilet requisites

ACCESSION (n)

- the latest accessions to the school library
- the accession of new members to the party

accession; accroissement, augmentation; assentiment; adhésion

- les dernières acquisitions de la bibliothèque scolaire
- l'adhésion de nouveaux membres au parti

ACCIDENTAL (adj)	accidentel; accessoire, subsidiaire
ACCLAIM (n)	approbation
– the play received great critical acclaim	– la pièce a été très bien accueillie par la critique
	(F) acclamations = (E) cheers
ACCLAIM (v)	acclamer; proclamer
– they acclaimed him their leader	– ils l'ont proclamé chef
ACCLIMATIZE (v)	acclimater; accoutumer
– he can't acclimatize himself to working at night	– il ne peut s'habituer à travailler le soir
ACCOMMODATE (v)	loger; rendre service; (s') accommoder
– this hotel can accommodate 200 guests	– cet hôtel peut recevoir 200 personnes
– the bank will accommodate you with a loan	– la banque vous consentira un prêt
ACCOMMODATION (n)	logement; commodité(s); arrangement, compromis; (en optique) accommodation
– the high cost of rented accommodation in London	– le prix élevé des locations à Londres
– for your accommodation	– pour votre facilité
– to come to an accommodation	– s'arranger à l'amiable
	(F) accommodation = (E) adaptation
ACCOMPLISHMENT (n)	(généralement au pluriel) talent(s); projet réalisé
– being able to play the piano is one of his accomplishments	– il possède le talent de bien jouer du piano
	(F) accomplissement = (E) completion; performance
in **ACCORDANCE with** (prep)	conformément à
ACCORDANT (adj)	conforme; concordant
ACCOST (v)	accoster; aborder; racoler
ACCOUNT (n)	compte; exposé, rapport
	(F) acompte = (E) deposit, down payment, instalment

ACCOUNT for (v)	expliquer la cause de
– I can't account for it	– je n'y comprends rien
ACCOUTREMENTS (n pl)	équipement du soldat
	(F) accoutrement = (E) getup (péjoratif), rig-out
ACHIEVE (v)	réaliser, mener à bien
– he will never achieve anything	– il ne fera jamais rien de bon
– the company has achieved a 100 % increase in profitability	– la société a réalisé une augmentation de rentabilité de 100 %
	(F) achever = (E) to complete
ACHIEVEMENT (n)	réalisation; oeuvre; exploit
	(F) achèvement = (E) completion
ACQUAINTANCE (n)	connaissance; relation
– old acquaintances	– de vieilles connaissances
– he has some acquaintance with Spanish	– il se débrouille un peu en espagnol
ACQUIESCE (v)	acquiescer; se soumettre, se plier à
– to acquiesce in an opinion	– se ranger à un avis
ACQUIESCENCE (n)	assentiment ; soumission; acquiescement
ACQUIESCENT (adj)	consentant; soumis
ACQUIT oneself (v)	se conduire, se comporter
– he acquitted himself like a hero	– il s'est comporté en héros
	(F) acquitter une facture = (E) to receipt a bill
	(F) s'acquitter d'une dette = (E) to discharge a debt
ACT (n)	acte; loi (votée par un pouvoir législatif)
– this drug was banned by an act	– la loi a interdit ce médicament
ACT (v)	agir, fonctionner; jouer, représenter
– she always seems to be acting	– on dirait qu'elle joue toujours la comédie
ACTUAL (adj)	réel, véritable, effectif
– photo of the premises actual	– photo des locaux dans leur état réel
– I'll give you an actual example	– je vous donnerai un exemple vécu
– actual written quotations	– des citations textuelles

(F) actuel = (E) present, current, now prevailing
(F) le monde actuel = (E) the world today
(F) à l'époque actuelle = (E) nowadays

ACTUALITY (n, souvent pl) — réalité, existence; temps présent
- to take no risks, we'll have to confine ourselves to actualities — afin de ne courir aucun risque, nous devrons nous en tenir aux réalités

(F) actualités = (E) current events, the news
(F) livre d'actualité = (E) topical book

ACTUALLY (adv) — en fait, à vrai dire, véritablement
- I don't feel like going to the pictures actually — au fond, je n'ai pas envie d'aller au cinéma

(F) actuellement = (E) at present, nowadays

ADDICT (n) — personne sous l'influence d'une drogue
- a heroin addict — un héroïnomane

be ADDICTED to (v) — s'adonner à, être l'esclave de
- my children are hopelessly addicted to television — mes enfants passent toute leur vie devant la télévision

ADDITIONAL (adj) — supplémentaire; additionnel
- additional benefits — avantages accessoires
- additional charge — supplément de prix

ADDRESS (n) — adresse; discours, allocution

ADDRESS (v) — adresser, s'adresser à; aborder
- they refused to address the crucial issues — ils n'ont pas voulu aborder les problèmes cruciaux

ADEPT (adj n) — expert, habile
- he is very adept at making up stories — il invente facilement des histoires

(F) un adepte = (E) a follower

ADHERE (v) — adhérer; coller; rester fidèle à
- I adhere to my decision — je persiste dans ma décision

ADHERENCE (n) — adhérence; adhésion; attachement
- your adherence to these regulations will facilitate your stay with us — en vous conformant à ces règles, vous faciliterez le bon déroulement de votre séjour chez nous

ADHESION (n)	adhérence (en technique et en médecine); adhésion
ADJOIN (v)	être contigu à, attenir à (F) adjoindre = (E) to appoint; to attach, to affix
ADJOINING (adj)	attenant, contigu, voisin
– in the adjoining room	– dans la pièce à côté
ADJOURN (v)	ajourner; passer dans un autre lieu
– after the meeting we all adjourned to the pub	– après la réunion nous nous sommes tous retrouvés au bar
ADJUDICATION (n)	jugement, arrêt
– adjudication of bankruptcy	– déclaration de faillite (F) adjudication = (E) (sale by) auction
ADJUDICATOR (n)	membre du jury dans un concours; juge (d'une compétition)
ADJUNCT (n)	adjoint, auxiliaire; accessoire; (grammaire) complément
ADJUTANT (n)	(armée) major (F) adjudant = (E) warrant officer
ADMISSION (n)	admission; aveu
– to resign now would be an admission of failure	– démissionner maintenant, ce serait reconnaître notre échec
ADVANCE (n)	avance, marche en avant, progrès, progression par avance, d'avance; hausse, augmentation; avance (d'argent), prêt
– advance copy	– exemplaire de lancement
– advance payment	– paiement anticipé
– advance booking office	– guichet de location
– to make advances in technology	– faire des progrès en technologie
– luggage in advance	– (rail) bagages enregistrés
– advance man	– (US, politique) organisateur de la publicité
ADVANCE (v)	(s')avancer; (faire) progresser, faire des progrès; monter, augmenter, être en hausse; promouvoir,

recevoir de l'avancement; émettre (une opinion); faire une avance d'argent, prêter

- advanced level – niveau approfondi
- the report advances the suggestion that ... – le rapport suggère que ...
- this will do nothing to advance the cause of world peace – cela ne contribuera en rien à promouvoir l'idée de la paix universelle
- he is only trying to advance his own interests – il essaie uniquement de faire avancer ses propres intérêts

ADVERTISE (v) faire de la publicité; insérer une annonce dans un journal

- in Belgium doctors are not allowed to advertise – en Belgique les médecins n'ont pas le droit de faire de la publicité

(F) avertir = (E) to warn

ADVERTISEMENT (n) annonce, affiche publicitaire
also: **AD, ADVERT**

- TV adverts in between programmes – des spots publicitaires entre les programmes

(F) avertissement = (E) warning

ADVERTISER (n) annonceur (publicitaire)

ADVERTISING (n) (technique de la) publicité

- an advertising campaign – une campagne publicitaire

ADVICE (n) conseils

- you should take legal advice – vous devriez consulter un avocat

(F) avis = (E) opinion, view

ADVISABLE (adj) recommandable, judicieux

- it's advisable always to wear a safety-belt when you are driving – il est recommandé de toujours mettre sa ceinture de sécurité quand on conduit

ADVISE (v) conseiller; recommander; (commerce) aviser, informer

ADVISER , ADVISOR (n) conseiller

- spiritual adviser – directeur de conscience

ADVISORY (adj) consultatif

AFFAIR (n) affaire; événement; liaison (amoureuse)
- to have an affair with sb – avoir une liaison avec qn

AFFILIATE (n) société liée (détenue à moins de 50 %)
(F) filiale = (E) subsidiary

AFFLUENCE (n) richesse, abondance, opulence
- to rise to affluence – parvenir à la richesse

(F) affluence = (E) crowds
(F) heures d'affluence = (E) rush hours

AFFLUENT (adj) abondant, riche
- in affluent circumstances – dans l'aisance
- the affluent society – la société d'abondance

AGAPE (adj) bouche bée; émerveillé
- they watched with their mouths agape – ils regardaient bouche bée

AGE (n) âge; vieillesse; époque
- the Age of Reason – le Siècle des Lumières
- I haven't seen him for ages – cela fait une éternité que je ne l'ai plus vu
- she stayed for ages – elle est restée un temps fou

AGENCY (n) agence; action, opération; entremise
- through the agency of his friends – par l'entremise de ses amis

AGENDA (n) ordre du jour
- the first item on the agenda – le premier point à l'ordre du jour

(F) agenda = (E) diary

AGGRAVATE (v) aggraver; irriter, exaspérer
- aggravating delays caused by the heavy traffic – des retards agaçants provoqués par une circulation dense

AGGRAVATION (n) aggravation; agacement, exaspération

AGGREGATE (adj) total, global; collectif
- aggregate value – valeur collective

AGGREGATE (n) ensemble, total; (construction & géologie) agrégat

AGGREGATE (v)	s'élever à, former un total de; s'unir en un tout, s'agréger
AGGREGATION (n)	agrégation; agglomération; assemblage
AGGRESSIVE (adj)	(vendeur) accrocheur; (armée) offensif; (psychologie) agressif
AGONIZE (v) – I was agonized at the thought – he agonizes after originality	mettre au supplice, torturer – cette idée me mettait au supplice – il se torture l'esprit pour être original (F) agoniser = (E) to be dying
AGONIZING (adj) – an agonizing shriek – an agonizing reappraisal	angoissant, atroce, poignant – un cri déchirant – une révision déchirante
AGONY (n) – to be in an agony of terror	souffrance; angoisse – être au comble de l'épouvante (F) agonie = (E) death pangs (F) longue agonie = (E) slow death
AGREE (v)	être ou se mettre d'accord; consentir (à faire); avouer; reconnaître la véracité de; concorder
– I don't agree with children smoking	– je n'admets pas que les enfants fument
– his explanation agrees with what I know	– ses explications correspondent à ce que je sais
– sea air agrees with invalids	– l'air marin réussit aux malades (F) si cela vous agrée = (E) if it suits / pleases you
AGREEABLE (adj) – I'm agreeable to doing it	agréable; consentant – je consens à le faire
AGREEMENT (n) – by mutual agreement	accord, convention, contrat – d'un commun accord (F) agrément = (E) charm, pleasantness (F) les agréments de la vie = (E) the charms of life
AIL (v) – she's always ailing – what's ailing them ?	être mal portant; souffrir – elle a une petite santé – quelle mouche les a piqués ?

AIM (n)	but, objectif
– his aims are open to suspicion	– ses ambitions sont suspectes
AIM (v)	viser; braquer
– to aim for the head	– viser la tête
– to aim high	– viser plus haut, ambitionner
AIMER (n)	viseur
AIR (v)	aérer; discuter, exposer
– to air personal grievances	– exposer des griefs personnels
– he likes to air his knowledge	– il aime étaler ses connaissances au grand jour
AISLE (n)	nef latérale; passage entre bancs ou sièges; couloir central
– to take a girl up the aisle	– mener une jeune fille à l'autel (F) aile = (E) wing
ALCOVE (n)	alcôve; niche, enfoncement dans un mur
ALIEN (adj)	étranger; extra-terrestre; opposé à
– their ideas are quite alien to our way of thinking	– leurs idées sont tout à fait en opposition avec notre mentalité
ALIEN (n)	étranger; extra-terrestre (F) aliéné = (E) insane
ALLEVIATION (n)	allègement, soulagement
ALLURE (v)	attirer, allécher, séduire
ALTER (v)	changer, modifier, remanier
– he altered his mind	– il a changé d'avis
ALTERNATIVE (adj)	alternatif; non-traditionnel; de remplacement
– alternative solution	– solution de rechange
– alternative education	– (US) enseignement privé basé sur des méthodes nouvelles
– alternative medecine	– médecine parallèle
AMBER light	(signalisation) feu orange

AMENABLE (adj)	soumis, docile; soumis à, relevant de, responsable de
– amenable to a fine	– passible d'une amende
AMENITIES (n pl)	agréments, charmes
– hotel amenities : quiet location etc	– les charmes de l'hôtel : situation calme, etc ...
	(F) aménité = (E) effability, amiability
	(F) se dire des aménités (ironique) =
	(E) to exchange uncomplimentary remarks
AMOUNT (n)	somme, montant
– debts to the amount of £ 30	– dettes d'un montant de 30 livres
	(F) amont= (E) (cours d'eau) upstream water; (pente) uphill
AMOUNT (v)	s'élever à; équivaloir à
– it amounts to the same thing !	– cela revient au même !
– it amounts to stealing	– cela équivaut à du vol
AMOUR (n)	intrigue galante (surtout secrète), liaison
AMUSEMENT park	parc d'attractions
ANCIENT (adj)	qui se rapporte à l'antiquité; (humoristique) très vieux
– Ancient Greece	– la Grèce antique
– my ancient car	– ma vieille bagnole
ANCILLARY costs	frais annexes
ANGINA (n)	angine de poitrine
ANGLE (v)	pêcher à la ligne; orienter
– to angle for compliments	– être en quête de compliments
– she angles her reports to suit the people she is talking to	– elle change de rapports selon les personnes auxquelles elle s'adresse
ANGLER (n)	pêcheur (à la ligne)
ANIMATE (v)	animer; encourager, stimuler
ANIMATION (n)	animation; feu, entrain; encouragements; réalisation de dessins animés
– to be full of animation	– être plein d'entrain

ANNOUNCER (n) — présentateur; journaliste; speaker
(F) annonceur = (E) advertiser

ANTEDATE (v) — antidater; précéder (un événement)
- the old carriage antedates the invention of the car — la charrette est antérieure à l'invention de la voiture

ANTICIPATE (v) — devancer, prévenir; anticiper; escompter, prévoir, s'attendre à
- he anticipated all my desires — il est allé au-devant de tous mes désirs
- we don't anticipate much trouble — nous ne nous attendons pas à trop de problèmes

ANTICIPATION (n) — prévision, attente; anticipation
- take an umbrella in anticipation of rain — emportez un parapluie en prévision de la pluie !

ANTICS (n pl) — bouffonneries, singeries
- to perform antics — faire le singe
- people eventually grew tired of his antics on the tennis court — les gens ont fini par se lasser de tout son cinéma sur le terrain de tennis

ANXIOUS (adj) — anxieux, inquiet, soucieux; alarmant; désireux de
- he's anxious to find a job during his summer vacation — il désire beaucoup trouver du travail pendant les vacances d'été
- I'm very anxious to meet you — je tiens beaucoup à vous rencontrer
- they are anxious to start — ils sont pressés d'y aller

APARTMENT (n) — (GB) salle, pièce, chambre; (US) logement, appartement
- apartments — chambres à louer
- a four-apartment house — une maison de 4 pièces
(F) appartement = (E) flat

APOLOGIZE (v) — s'excuser de
- to apologize for not replying sooner to a letter — s'excuser de ne pas avoir répondu plus tôt à une lettre

APOLOGY (n) — excuse
- please accept my apologies — veuillez accepter mes excuses
(F) apologie = (E) praise

APPAREL (n) — (litt) vêtement; habillement
- ladies' ready to wear apparel — confection pour dames
(F) appareil = (E) appliance

APPARENT (adj)	apparent; manifeste, évident
– heir apparent	– héritier présomptif
APPEAL (n)	attrait, attirance; appel; prière, supplication
– films of that sort have lost their appeal for me	– ce genre de films ne m'attire plus
– she hasn't got much sex-appeal	– elle n'a aucune attirance physique
	(F) appel = (E) call
APPEAL (v)	faire appel à; invoquer; attirer, séduire
– if it appeals to you	– si le coeur vous en dit
	(F) appeler = (E) to call
APPEARANCE (n)	apparition, arrivée, entrée; parution, comparution; aspect, apparence
– in order of appearance	– par ordre d'entrée en scène
– appearance before a court	– comparution devant un tribunal
– appearance of a book	– parution d'un livre
APPLICANT (n)	demandeur d'emploi, candidat; (justice) demandeur, requérant
APPLICATION (n)	demande, candidature, requête; application
– on application	– sur simple demande
– application form	– formulaire de candidature
APPLY (v)	s'appliquer; s'adresser à, avoir recours à
– to apply for a job	– postuler un emploi
– he has a lot of talent but he won't apply himself	– il a beaucoup de talent, mais il ne veut pas s'appliquer
APPOINT (v)	désigner, nommer (à un poste)
– he was appointed manager	– on l'a nommé directeur
– appointed agent	– agent attitré
– at the appointed time	– à l'heure convenue
– a well-appointed house	– une maison bien installée
	(F) appointer = (E) to pay a salary to
APPOINTEE (n)	candidat retenu, titulaire d'un poste
	(F) appointés = (E) salaried staff
APPOINTMENT (n)	désignation; nomination; rendez-vous
– appointments vacant	– offres d'emploi

– by appointment to Her Majesty the Queen	– fournisseur de la Cour
– I'll have to cancel the appointment	– il me faudra annuler le rendez-vous
	(F) appointements = (E) salary
APPRECIABLE (adj)	d'une certaine importance, appréciable; sensible, visible
– the temperature dropped appreciably	– la température a sensiblement baissé
APPREHENSION (n)	appréhension; arrestation; compréhension, entendement
APPREHENSIVE (adj)	inquiet; appréhensif; craintif
– to be apprehensive of danger	– redouter le danger
– she was apprehensive about her son's safety	– elle craignait pour la sécurité de son fils
APT (adj)	juste, approprié; intelligent, habile; sujet (à), enclin (à)
– an apt comment	– un commentaire pertinent
– an apt pupil	– un élève doué
– one is apt to believe	– on a tendance à croire
– she is apt to go out dancing at night	– il lui arrive souvent d'aller danser le soir
	(F) apte = (E) able, capable
ARCADE (n)	arcade; galerie commerciale
ARCH (adj)	malicieux, coquin; grand; par excellence
– an arch smile	– un sourire espiègle
– an arch traitor	– le traître par excellence
– an arch villain	– le parfait scélérat
ARCH (n)	arche (en architecture); arc, cintre; voûte
– archway	– porche; passage voûté
	(F) arche (Bible) = (E) ark
ARGENT (adj)	(poésie & héraldique) couleur d'argent, argenté
– an argent shield	– un blason couleur argent
	(F) argent = (E) silver

ARGUE (v)	discuter; débattre; se disputer; indiquer, dénoter; persuader; dissuader; affirmer
– it argues well for him	– cela parle en sa faveur
– the way he spends money argues that he is rich	– à la façon dont il dépense son argent, on voit qu'il est riche
	(F) arguer = (E) to deduce
	(F) arguer que = (E) to put forward the reason that
ARGUMENT (n)	discussion, dispute; débat; controverse; argument
– it is beyond argument	– c'est indiscutable
– they got into an argument about politics	– ils se disputèrent à propos de politique
– there is a strong argument about his resignation	– il y a de bonnes raisons pour qu'il démissionne
ARK (n)	(histoire et religion) arche
– it's out of the ark	– c'est antédiluvien
ARM (n)	bras; *ce mot n'a généralement le sens d'«arme» que sous sa forme du pluriel* «**ARMS**»; division d'un groupe d'armées
– within arm's reach	– à portée de la main
– an arms control agreement	– un accord sur la limitation des armements
– arms talks	– négociation sur le désarmement
– 50,000 men under arms	– 50.000 hommes sur pied de guerre
– the Fleet Air Arm	– l'Aéronavale
	(F) arme = (E) weapon
ARRAIGN (v)	traduire en justice; accuser, mettre en cause
– arraigned on a charge of manslaughter	– inculpé d'homicide
ARRANGE (v)	arranger; s'arranger; prendre ses dispositions
– we have arranged for the goods to be dispatched	– nous avons fait le nécessaire pour faire expédier les marchandises
ARRANGEMENT (n)	arrangement; règlement, disposition; (pluriel) mesures, dispositions
– the arrangement of furniture	– la disposition des meubles
– the price of the house is a matter for arrangement	– le prix de la maison est à débattre
– the security arrangements for the Queen's visit	– les mesures de sécurité pour la visite royale
– exceptional arrangements	– régime dérogatoire

ART (n)	art; adresse, habileté; artifice, stratagème
– he used every art	– il fit flèche de tout bois
– Faculty of Arts	– Faculté des Lettres et des Sciences Humaines
– Arts degree	– licence ès lettres
ARTICLE (n)	article; marchandise; (pluriel) contrat
– articles of clothing	– vêtements
– articles of food	– denrées alimentaires
– articles of value	– objets de valeur
– articles of apprenticeship	– contrat d'apprentissage
– articles of association	– statuts (d'une société)
ARTICULATE (adj)	articulé; net, distinct, précis
– to be highly articulate on an issue	– s'exprimer très clairement sur un problème
ARTIFICIAL (adj)	artificiel; factice, simulé
– an artificial limb	– une prothèse
– an artificial smile	– un sourire forcé
– artificial tears	– des larmes feintes
– it was a very artificial situation	– la situation manquait de spontanéité
ASPECT (n)	aspect; orientation, exposition
– seen from this aspect	– vu sous cet angle
– the house has a southerly aspect	– la maison est orientée au sud
ASPERSE (v)	calomnier, diffamer
– he aspersed my good name	– il a traîné ma réputation dans la boue
	(F) asperger = (E) to splash
ASPERSION (n)	(familier ou humoristique) calomnie, médisance
– to cast aspersions on sb	– dénigrer qn
	(F) aspersion = (E) spraying, sprinkling
ASSAULT (n)	assaut; agression; tentative de voies de fait
– assault and battery	– coups et blesssures
– criminal assault	– tentative de viol
– indecent assault	– attentat à la pudeur
ASSEMBLAGE (n)	assemblage; collection, ensemble; réunion
ASSEMBLY (n)	assemblée; assemblage

– in open assembly	– en séance publique
– assembly line	– chaîne de montage
– assembly shop	– atelier de montage
ASSESSOR (n)	assesseur; expert
– assessor of taxes	– (US) contrôleur des contributions directes
ASSIGN (v)	assigner; fixer; attribuer, affecter; nommer
– she assigned her whole estate to a charity organization	– elle a fait don de tous ses biens à une oeuvre de bienfaisance
ASSIGNATION (n)	rendez-vous galant; cession, transfert (de biens); attribution; allocation; affectation; assignation
ASSIGNEE (n)	cessionnaire
ASSIST (v)	aider, secourir
– assisted by	– avec le concours de
– assisted passage	– billet à prix réduit
	(F) assister à = (E) to attend
ASSISTANCE (n)	aide, secours
	(F) assistance (*public*) = (E) audience
ASSISTANT (n)	aide; auxiliaire, adjoint
– assistant manager	– vice-président
ASSORT (v)	assortir; ranger, classer; s'entendre (avec)
ASSUME (v)	supposer, présumer, partir de l'hypothèse que; s'attribuer, s'approprier; assumer
– you are assuming a lot	– vous faites bien des suppositions
ASSUMED (adj)	supposé, feint, faux
– with assumed nonchalence	– avec un air d'indifférence
– to write under an assumed name	– écrire sous un nom d'emprunt
ASSUMING (adj)	présomptueux, prétentieux
ASSUMPTION (n)	supposition, hypothèse, postulat; arrogance, présomption; appropriation; (avec majuscule) Assomption

– don't rely on the information, it is pure assumption	– ne vous fiez pas à cette donnée, ce n'est qu'une simple hypothèse
– assumption of office	– entrée en fonctions
ATTACH (v)	attacher; arrêter, saisir; être attribué; être afférent à
– he's attached	– il n'est pas libre
ATTACHABLE property	biens saisissables
ATTACHMENT (n)	fixation, attache; attachement; arrestation; saisie judiciaire; stage
– a vacuum-cleaner with a special attachment for dusting books	– un aspirateur équipé d'un accessoire destiné à dépoussiérer les livres
– to be on attachment	– faire un stage
ATTEND (v)	assister à, fréquenter; être présent
– to attend church	– aller à l'église
– to attend a lecture	– assister à une conférence
– attend to (v)	– prêter attention à, s'occuper de
– are you being attended to ?	– est-ce qu'on s'occupe de vous ?
	(F) attendre = (E) to wait for
ATTENDANCE (n)	assistance, présence; service, soins, visites (médecin)
– regular attendance	– fréquentation assidue, assiduité
– attendance record	– registre des présences
ATTENDANT (adj)	qui accompagne
– the attendant circumstances	– les circonstances concomitantes
ATTENDANT (n)	domestique; gardien, préposé;
– attendants	– membres de la suite
– medical attendant	– médecin traitant
ATTENTIVE (adj)	prévenant, soucieux, empressé; attentif
ATTEST (v)	attester; légaliser; (faire) prêter serment
ATTESTATION (n)	attestation; légalisation; prestation de serment
ATTIC (n)	grenier
– attic room	– mansarde

ATTIRE (n)	vêtements, habits
– in formal attire	– en habits de cérémonie
ATTIRE (v)	vêtir, parer (F) attirer = (E) to draw, to attract
ATTRACTION (n)	attirance, attrait; attraction
ATTRIBUTE, ATTRIBUTIVE (adj n)	(sens général) attribut; (en grammaire) épithète
– attributive phrase	– locution jouant le rôle d'épithète
AUCTION (n)	(vente aux) enchères
– auction room	– salle des ventes
AUDIENCE (n)	spectateurs, auditoire, public; audience
– he lectured to an appreciative audience	– il fit des conférences devant un public réceptif
– audience research	– (radio & TV) études d'opinion
AUDITOR (n)	expert-comptable; vérificateur aux comptes; (US) élève libre à l'université; auditeur (F) auditeur (sens général) = (E) listener
AUTHORITY (n)	autorité, instance; autorisation; mandat; organisme officiel, office
– who's in authority here ?	– qui commande ici ?
– to do sth without authority	– faire qch sans autorisation
AUTHORIZED (adj)	autorisé; agréé
– the Authorised Version	– la traduction officielle de la Bible en anglais (datant de 1611)
AVAIL oneself of (v)	profiter de, se servir de
AVAILABLE (adj)	disponible, accessible
AVERSE (adj)	opposé à; adversaire; ennemi
– he is not averse to having the occasional cigar	– il ne répugne pas à fumer de temps en temps
AVERT (v)	prévenir; détourner; écarter
– the accident was averted by his quick thinking	– grâce à ses prompts réflexes on évita l'accident

AVIATOR glasses — lunettes de sport

AVOIRDUPOIS (n) — système britannique des poids et mesures; excès de poids

- she suffers from avoirdupois — elle souffre d'embonpoint

AX (US), AXE (GB) (n) — hache; réductions, coupes sombres

(F) axe = (E) axis, axle

AX (US), AXE (GB) (v) — réduire, comprimer (les dépenses); licencier (du personnel) pour réaliser des économies

- 750 jobs were axed as a result of government spending cuts — les compressions budgétaires gouvernementales ont entraîné la suppression de 750 emplois

BACCALAUREATE (n)	(US) licence
BACHELOR (n)	célibataire; titulaire du premier diplôme universitaire
– a bachelor girl	– une célibataire
– Bachelor of Arts	– licencié ès lettres
BACON (n)	lard
– to save one's bacon	– sauver sa peau
– to bring home the bacon	– gagner sa vie
	(F) bacon = (E) smoked loin of pork
BAFFLE (n)	déflecteur; chicane; baffle
BAFFLE (v)	déconcerter; dérouter; déjouer
– the scene baffled all description	– c'était un spectacle indescriptible
– his question baffled me completely	– sa question m'a complètement dérouté
BAGATELLE (n)	bagatelle; divertissement musical; billard anglais
BAIL (n)	(mise en liberté sous) caution; (cricket) bâtonnet
– he was admitted to bail	– on l'a mis en liberté sous caution
– to go bail for sbdy	– se porter garant de qq
	(F) bail = (E) lease
BAIL (v)	obtenir la mise en liberté sous caution de; vider l'eau d'une embarcation
	(F) bâiller = (E) to yawn
BAILIFF (n)	huissier; intendant; régisseur; (histoire) bailli

BAIZE (n) — feutrine; serge; tapis de billard

BALANCE (n) — équilibre; solde d'un compte; balance
- balance sheet — bilan

BALANCE (v) — équilibrer; hésiter; solder (un compte)
- one thing balances another — une chose compense l'autre
- a balanced diet — un régime bien équilibré
- to balance the books — dresser le bilan
- to balance the advantages against the disadvantages — peser le pour et le contre

(F) balancer = (E) to swing, to rock

BALL (n) — balle; ballon; bille; boule; pelote; bal

BALLAST (n) — lest; esprit rassis; ballast
- he's got no ballast — il n'a pas de plomb dans la cervelle

BALLOON payment — remboursement anticipé et global d'une dette

BALLOT (n) — (tour de) scrutin, (bulletin de) vote
- to take a ballot — procéder à un vote
- to hold a ballot — procéder à un tirage au sort

(F) ballot = (E) bundle, package

BALLOT (v) — voter au scrutin secret; tirer au sort
- to ballot for a place — tirer au sort pour avoir une place

(F) ballotter = (E) to roll around, to shake about

BANANA (n) — banane; bananier
- to go bananas — devenir dingue

BAND (n) — bande; lien, ruban; fanfare
- a one-man band — un homme-orchestre

BANDOLIER (n) — cartouchière portée en écharpe

BANK (n) — banque; rive, berge; talus
- the West Bank of Jordan — la Cisjordanie

BANKRUPTCY (n) — faillite

BAR (n) — bar; barre; barreau; obstacle; (musique) mesure
- a bar of chocolate — un bâton de chocolat

– the colour bar	– la ségrégation raciale
– to read for the Bar	– faire son droit
– the opening bars of the National Anthem	– les premières mesures de l'hymne national
BAR (v)	barrer; munir de barreaux; interdire, s'opposer à; exclure
– he barred himself in	– il s'est barricadé
BARBED (adj)	barbelé; acéré
– barbed wire	– fil de fer barbelé
BARBER (n)	coiffeur
BARBS (n pl)	barbituriques
BARE (v)	mettre à nu; découvrir
– to bare one's teeth	– montrer les dents
	(F) barrer =
	(E) (obstruer) to bar; (rayer) to cross out
BARK (n)	écorce; aboiement
	(F) barque = (E) small boat, small craft
BARON (n)	baron; magnat de l'industrie
– baron of beef	– selle de boeuf
BARRACKS (n pl)	caserne
– to be confined to barracks	– être consigné
	(F) baraque = (E) shed, hut
BARREL (n)	tonneau; barrique; baril; canon; tronc
– barrel vault	– voûte en berceau
BASE (adj)	vil, ignoble, abject
	(F) bas = (E) low
BASE (n)	base; siège (d'une société)
BASE (v)	baser; établir son siège social
– a London-based company	– une société ayant son siège social à Londres

BASEMENT (n)	sous-sol
– to live in a basement apartment	– habiter un sous-sol
BASIC (adj)	fondamental; (chimie) basique
– a basic suit	– un petit tailleur neutre
BASIN (n)	cuvette; bol; jatte; (géogr) bassin
– washbasin	– lavabo
BASKET (n)	panier; corbeille
	(F) basket = (E) basketball
BASSINET (n)	berceau ou voiture d'enfant en osier
BASTARD (n)	bâtard(e); salaud
– a bastard of a traffic-jam	– un embouteillage monstre
– you lucky bastard !	– (familier) cocu, va !
BATMAN (n)	(armée britannique) ordonnance
BATON (n)	(musique) baguette; (police) matraque
– baton charge	– charge à la matraque
	(F) bâton = (E) stick
BATTER (v)	battre, frapper; martyriser; ravager
– town battered by bombing	– ville éventrée par les bombardements
– he battered at the door	– il frappa à la porte à coups redoublés
– a battered house	– une maison délabrée
– a battered old car	– un vieux tacot tout cabossé
BATTERY (n)	batterie; pile (électrique); fait de battre, coup, voie de fait; série d'objets semblables
– a battery of tests	– une série de tests
– a battery of questions	– une pluie de questions
– battery farming	– élevage intensif
BAZAAR (n)	bazar oriental; magasin bon marché; vente de charité
– a hospital bazaar	– une vente de charité au profit de l'hôpital
	(F) bazar = (E) general store

BEAU (n)	(archaïque) élégant; dandy; galant
BEEFEATER (n)	hallebardier à la Tour de Londres
BELLE (n)	la plus jolie
– the belle of the ball	– la reine du bal
BENEFIT (n)	avantage, profit; indemnité
– did you get much benefit from your holiday ?	– avez-vous bien profité de vos vacances ?
– fringe benefits	– avantages sociaux
– maternity benefit	– allocation de naissance
– unemployment benefit	– indemnité de chômage
– benefit club	– mutuelle
– benefit performance	– représentation de bienfaisance
– benefits of clergy	– rites de l'Eglise
	(F) bénéfice = (E) profit
BENEFIT (v)	faire du bien à, profiter à
BENEFIT by/from (v)	se trouver bien grâce à
- the sea air will benefit you *or* you will benefit by the sea air	– l'air de la mer vous fera du bien
	(F) bénéficier de = (E) to enjoy
BENEVOLENCE (n)	bienveillance; bienfaisance; bienfait, don charitable
BENEVOLENT (adj)	bienveillant; bienfaisant, charitable
	(F) bénévole = (E) voluntary, unpaid
BENIGN, BENIGNANT (adj)	doux, affable, gentil; favorable, bienveillant; bénin
BIAS (n)	tendance, inclination; fort penchant; préjugé, parti pris; (couture) biais
	(F) par le biais de = (E) by means of
BIAS (v)	influencer, avoir des préjugés
– bias(s)ed	– partial
	(F) biaiser = (E) to prevaricate
BIB (n)	bavoir; bavette
– best bib and tucker	– sur son trente et un
BIER (n)	civière, brancards de corbillard; bière (cercueil)
BIGOT (n)	fanatique, sectaire; bigot

BIGOTRY (n)	fanatisme, sectarisme; étroitesse d'esprit; bigoterie
BILLET (n)	bûche, rondin; logement de soldats chez l'habitant; emploi, place
– a cushy billet	– un boulot pépère, une planque (F) billet = (E) (transport) ticket; (banque) note, (US) bill
BILLET (v)	cantonner, loger des soldats dans une ville ou chez l'habitant
– the Captain billeted his men on old Mrs Smith	– le capitaine a fait loger ses hommes chez la vieille Mme Smith
BILLION (n)	milliard (F) billion = (E) trillion
BIPARTITE (adj)	bipartite; rédigé en double
BITE (n)	morsure, (insecte) piqûre, bouchée; quelque chose à manger
– he had a bite out of the apple	– il a juste mordu dans la pomme
– I'll get a bite on the train	– je mangerai un morceau dans le train
– there's a bite in the air	– l'air est piquant
BLACKGUARD (n)	canaille, fripouille
BLACKMAIL (n)	chantage
BLACKMAIL (v)	faire chanter; exercer du chantage sur
BLACKOUT (n)	étourdissement; trou de mémoire; panne d'électricité; obscurcissement, black-out
BLAME (n)	faute, responsabilité; blâme, reproches
– the judge put the blame for the accident on the driver	– le juge attribua au chauffeur la responsabilité de l'accident
BLAME (v)	reprocher, attribuer la responsabilité à qq; condamner, blâmer
BLANK (adj)	vide; vierge; blanc
– a blank look	– un regard sans expression
– blank verse	– vers blancs (non rimés)
– a blank cassette	– une cassette vierge
– my mind went blank	– j'ai eu un trou de mémoire
– to give sb a blank cheque	– donner carte blanche à qq

BLANK (n)	espace vide, blanc, lacune; fiche, formulaire
BLANKET (n)	couverture; couche (de neige); nappe (de brouillard)
– a blanket insurance policy	– une police d'assurances tous risques
– a blanket ban on smoking	– une interdiction totale de fumer
– a wet blanket	– un rabat-joie, un trouble-fête
BLEMISH (n)	défaut; tache, souillure
BLEMISH (v)	tacher, souiller, abîmer
– his reputation was blemished by the newspaper	– son honneur a été flétri dans le journal
	(F) blémir = (E) to turn pale, to go livid
BLESS (v)	bénir
– to be blessed with good health	– avoir la chance d'être bien portant
– she was never blessed with children	– elle n'a jamais connu le bonheur d'avoir des enfants
	(F) blesser = (E) to injure
BLESSING (n)	bénédiction
– the blessings of civilization	– les bienfaits de la civilisation
– count your blessings!	– estimez-vous heureux!
BLINDER (n)	oeillère
BLOUSE (n)	chemisier
	(F) blouse = (E) (tablier) overall, (de paysan) smock, (de médecin) white coat
BOMBARDIER (n)	(aviateur) bombardier; caporal d'artillerie
BOND (n)	obligation; contrat; attachement; lien; (finance) bon, titre
– to enter into a bond	– s'engager à faire qqch
– marriage bonds	– liens conjugaux
– his word is his bond	– il n'a qu'une parole
– bondholder	– porteur d'obligations
	(F) bond = (E) leap
BONNET (n)	bonnet; (voiture) capot; auvent; béret écossais
– to have a bee in one's bonnet	– avoir une idée fixe, une marotte

BORDER (n)	bord; rive; frontière
– borderland	– région limitrophe
– the Borders	– zône frontière entre l'Angleterre et l'Ecosse
BOUT (n)	reprise; accès, crise; attaque; (boxe) combat
– a coughing bout	– une quinte de toux
– drinking bout	– beuverie
	(F) bout = (E) end
BRANCH (n)	branche; succursale
– the bank has branches all over the country	– la banque a des agences dans tout le pays
BRASS (n)	cuivre jaune; laiton; plaque commémorative (en cuivre)
– a brass band	– une fanfare
– to clean the brasses	– astiquer les cuivres
	(F) brasse = (E) (sport) breast-stroke; (marine) fathom
BRA (SSIERE) (n)	soutien-gorge; bustier
BRIBE (n)	pot-de-vin
– to take a bribe	– se laisser corrompre
	(F) bribe = (E) scrap, snatch
BRIBE (v)	soudoyer, corrompre, graisser la patte
– to bribe sb into silence	– acheter le silence de qn
BRIDE (n)	future ou jeune mariée
	(F) bride = (E) bridle
BRIEF (n)	résumé; exposé des faits, (justice) dossier; briefing
– to hold a brief	– être chargé d'une cause
BRIEFS (n pl)	slip
BRIGADIER (n)	général de brigade
BRISK (adj)	vif, actif, alerte
– a brisk walker	– un promeneur alerte
– trading was brisk	– le marché était actif
– ice-vendors do brisk business during the heat wave	– les affaires des marchands de glace marchent bien pendant la canicule

BUFFET (n)	buffet; coup de poing; gifle
BUFFET (v)	flanquer une raclée; souffleter
BULB (n)	ampoule, lampe électrique; bulbe; (chimie) ballon
BUOYANCY (n)	flottabilité; entrain, gaieté; (finance) fermeté, tendance à la hausse
– buoyancy aid	– gilet de sauvetage
– buoyancy chamber	– caisson étanche
BUOYANT (adj)	flottable; plein d'entrain; (finance) ferme, soutenu
– fresh water is not so buoyant as salt	– l'eau douce ne porte pas aussi bien que l'eau salée
BUST (adj)	fichu, foutu
– to go bust	– faire faillite
BUST(n)	buste; (familier) noce, bombe
– to go on the bust	– faire la nouba
BUTTONS (n)	chasseur d'hôtel, groom

CABAL (n) — cabale, intrigue; clique, coterie

CABIN (n) — cabane, hutte; (marine) cabine

- they lived in a little log cabin — ils vivaient dans une petite cabane en bois
- cabin boy — mousse
- Uncle Tom's cabin — la case de l'Oncle Tom

CABINET (n) — meuble de rangement; coffret; (avec majuscule) les principaux ministres du gouvernement

- a cabinet-maker — un ébéniste
- I keep my collection of old china in the cabinet — je garde ma collection de vieille porcelaine dans le dressoir
- a Cabinet crisis — une crise ministérielle
- a Cabinet reshuffle — un remaniement ministériel

(F) cabinet = (E) (avocat) chambers, (notaire) office

CALICO (adj) — (US) bigarré, bariolé

CAMERA (n) — appareil photo; caméra; en privé

- the meeting was held in camera — la réunion se tint à huis clos
- camerawork — prises de vues

CANCEL (v) — barrer; annuler, décommander; oblitérer; (mathématique) éliminer

- the 11.30 train to London has been cancelled — on a annulé le train pour Londres de 11H30
- the two factors cancel each other out — les deux facteurs s'annulent

CANDID (adj) — franc, loyal, sincère

– to be quite candid, I don't like her	– pour être tout à fait franc, je ne l'aime pas
– a candid camera	– un appareil de poche pour instantanés
– he gave me his candid opinion of it	– il m'a dit franchement ce qu'il en pensait
	(F) candide = (E) ingenuous, guileless, naive
CANDO(U)R (n)	bonne foi, franchise
– lack of candour	– mauvaise foi
	(F) candeur = (E) ingenuousness, nalvety
CANDY (n)	sucre candi; (US) bonbon
– candied fruit	– fruit glacé confit
CANE (n)	canne; rotin, jonc; trique, fouet
– the schoolboy got the cane	– l'écolier a été fouetté
CANE (v)	fouetter; (sens figuré) taper sur les doigts
– a campaign to abolish caning in school	– une campagne pour l'abolition des sévices corporels à l'école
	(F) caner = (E) to chicken out
CANKER (n)	ulcère; chancre
	(F) cancre = (E) dunce
CANON (n)	chanoine; critère, norme, canon
– the canons of good taste	– les règles du bon goût
– this poem is now accepted as belonging to the Shakespearian canon	– on s'accorde actuellement à dire que ce poème fait partie de l'oeuvre de Shakespeare
	(F) canon = (E) cannon, gun; (tube) barrel
CANOPY (n)	dais, baldaquin; cockpit
CANVAS (n)	grosse toile; (tapisserie) canevas
– under canvas	– sous la tente; (marine) sous voiles
CANVASS (n)	tournée électorale
– canvasser	– agent électoral; démarcheur
CANVASS (v)	solliciter (des suffrages ou des commandes); examiner à fond
– an army of sales people canvassed from house to house	– une armée de vendeurs faisait du porte à porte

CAP (n) — bonnet, casquette, béret, képi; capsule, capuchon; (auto) bouchon de radiateur
- a nurse's cap — un bonnet d'infirmière

(F) cap = (E) cape

CAPABILITIES (n pl) — aptitudes; moyens

CAPABLE (adj) — compétent; capable; susceptible de
- a very capable doctor — un médecin très compétent
- the situation is capable of improvement — la situation est susceptible de s'améliorer

CAPE (n) — cap; cape

CAPITAL (adj) — capital, essentiel; fameux, épatant
- a capital letter — une majuscule
- what a capital idea! — quelle excellente idée!

CAPON (n) — chapon, poulet

(F) capon (familier) = (E) coward

CAPS (n pl) — abréviation de: **CAPITAL LETTERS** = majuscules

CAPTAIN (n) — capitaine; commandant
- Group Captain (RAF) — colonel d'aviation

CAR (n) — voiture; (US) cabine d'ascenseur; (dirigeable) nacelle; (US) wagon de chemin de fer
- car expenses — frais de déplacement en voiture

(F) car = (E) coach, (US) bus

CAREER (n) — carrière; course précipitée
- he studied the careers of the great — il a étudié la vie des grands
- in full career — en pleine course
- to stop in mid career — rester en chemin

CARGO (n) — cargaison, chargement

(F) cargo = (E) cargo boat, freighter

CARNATION (n) — oeillet

– he wore a white carnation in his buttonhole	– il portait un oeillet blanc à la boutonnière
	(F) carnation = (E) complexion
CAROUSAL (n)	beuverie, orgie, nouba
CAROUSEL (n)	carrousel; (aéroport) tapis roulant; (diapositives) panier circulaire
CARP (v)	blâmer; discutailler, trouver à redire
– carping criticism	– critique mesquine
CARPET (n)	tapis
– a carpet of snow	– un tapis de neige
– carpetbagger	– (US) profiteur
	(F) carpette = (E) rug
CART (n)	charrette
– to put the cart before the horse	mettre la charrue devant les boeufs
– to be in the cart	(familier) être dans le pétrin
	(F) carte = (E) card
CARTER (n)	camionneur; charretier
	(F) carter = (E) (GB) sump, (US) oilpan
CARTOON (n)	caricature; dessin animé
	(F) carton = (E) cardboard
CASE (n)	cas; (justice) affaire, cause; caisse, coffre; mallette
– to have a good case	– avoir de solides arguments
– case law	– droit jurisprudentiel
– a pillow-case	– une taie
	(F) case = (E) cabin; (sur papier) space
CASE (v)	envelopper; mettre en boîte
– cased edition	– édition cartonnée
– the thief was casing the joint	– le voleur surveillait la maison (pour voler)
CASKET (n)	coffret, cassette; (US) cercueil
	(F) casquette = (E) cap

CASSEROLE (n)	cocotte
– beef casserole	– boeuf en daube
	(F) casserole = (E) saucepan
CAST (n)	jet (de pierres); coulée, moulage; distribution (des rôles);(médecine) strabisme
– a man of his cast	– un homme de sa trempe
– to have a cast in one eye	– avoir un oeil qui louche
– castaway	– naufragé; (sens figuré) réprouvé
CAST (v)	jeter, lancer; distribuer les rôles; couler, fondre (du métal)
– the die is cast	– le sort en est jeté
– he was cast as Hamlet	– on lui a donné le rôle de Hamlet
CASTER , CASTOR (n)	saupoudroir; roulette (de fauteuil)
– castor oil	– huile de ricin
– caster sugar	– sucre en poudre
	(F) castor = (E) beaver
CASUAL (adj)	fortuit, accidentel; insouciant; désinvolte
– they employ casual labour to pick the fruit	– ils emploient de la main d'oeuvre temporaire pour cueillir les fruits
– a casual meeting	– une rencontre fortuite
– casual wear	– tenue sport, décontractée
	(F) casuel = (E) fortuitous
CASUALTY (n)	accident impliquant des blessés ou des morts
– the army suffered heavy casualties	– l'armée a subi de lourdes pertes (en vies et en blessés)
– casualty ward	– salle des accidentés
CATHOLIC (adj)	catholique (au sens large);universel; tolérant, libéral
– catholic mind	– esprit large
– catholic tastes	– goûts éclectiques
– Anglo-Catholic	– anglican
	(F) catholique = (E) Roman Catholic
CATHOLICITY (n)	largeur d'esprit, tolérance
CAUSE (n)	cause, motif, justification
– to show good cause for dismissing a worker	– donner un motif suffisant pour licencier un travailleur

CAUTION (n)

- I'll let you off with a caution this time
- he's a caution !

prudence; précaution; mise en garde; personne qui provoque l'amusement

- cette fois vous vous en tirerez avec une simple réprimande
- c'est un drôle de numéro !

(F) caution = (E) guarantee, security; (justice) bail

CAUTION (v)

- she cautioned her daughter against talking to strangers

mettre en garde, avertir

- elle a mis en garde sa fille contre le fait d'adresser la parole à des inconnus

(F) cautionner = (E) to answer for, to guarantee, to support

CAVE (n)

- a caveman

grotte

- un homme des cavernes

(F) cave = (E) cellar

CAVE ! (interj)

- to keep cave

(familier) vingt-deux !

- faire le guet

CAVE in (v)

- they refused to cave in to the terrorists' demands

s'effondrer, s'écrouler; se dégonfler

- ils ont refusé de céder aux exigences des terroristes

CELEBRATE (v)

fêter, faire la fête; célébrer

CELEBRATION (n)

- this calls for a celebration

fête, festivité; célébration

- il faut arroser cela

CELLAR (n)

cave

(F) cellier = (E) storeroom

CENSER (n)

encensoir

(F) censeur = (E) censor

CENSURE (n)

critique, blâme

(F) censure = (E) censorship

CENSURE (v)

critiquer, blâmer

CENTURY (n)

- to knock up a century
- century note

siècle; (cricket) 100 points

- totaliser cent points
- (US) billet de cent dollars

CERTIFIED (adj)	diplômé
– certified teacher	– professeur agréé
– certified public accountant (CPA)	– (US) expert-comptable
CHAIR (n)	chaise; (université) chaire
– electric chair	– chaise électrique
– chairman	– président
	(F) chair = (E) flesh
	(F) chaire (religion) = (E) pulpit
CHAISE (n)	cabriolet
CHALLENGE (n)	défi; (justice) récusation
CHALLENGE (v)	défier; contester; (sport) inviter à faire une partie; (armée) faire une sommation
– to challenge the wisdom of a plan	– mettre en question la sagesse d'un projet
CHALLENGER (n)	provocateur; (sport, politique) challenger
CHAMBERS (n pl)	cabinet de consultation; étude; logement; appartement
– to hear a cause in chambers	– juger une cause en référé
CHAMP (n)	abréviation de : **CHAMPION**
CHAMP (v)	mâcher bruyamment
– to champ at the bit	– ronger son frein
CHANCE (n)	hasard; risque; occasion, possibilité, chance (de)
– by sheer chance	– par pur hasard
	(F) chance = (E) luck
CHANCEL (n)	choeur d'église
CHANDELIER (n)	lustre
	(F) chandelier = (E) candelstick, candelabra
CHANGE (n)	changement, modification; (petite) monnaie
	(F) change = (E) exchange

CHANT (n)
chant d'église; psalmodie
(F) chant = (E) song, singing

CHANT (v)
chanter à l'église; psalmodier; scander (des slogans)

CHANTER (n)
chantre; chalumeau de la cornemuse

CHAP (n)
crevasse, gerçure; type, individu; (pluriel) (US) jambières de cuir portées par les cow-boys
- a nice chap – un chic type

CHAR (n)
(argot) thé
(F) char = (E) tank; (carnaval) float

CHAR(WOMAN) (n)
femme d'ouvrage

CHARACTER (n)
caractère; caractéristique, marque distinctive; réputation; personnage (dans une oeuvre)
- he's a character – c'est un original
- some of the characters in this novel are rather unconvincing – certains personnages de ce roman sont peu convaincants

CHARGE (n)
accusation; prix à payer, frais; garde, soin; (armée) charge
- free of charge – gratuit
- in charge of – préposé à, responsable de
- to reverse the charges – appeler en PCV

CHARGE (v)
accuser, inculper; compter un certain prix; se charger
- charge it on the bill! – mettez-le sur la note!
- this shop doesn't charge for delivery – livraison gratuite

CHARGEABLE (adj)
inculpable; imputable
- these debts are chargeable to my account – ces dettes sont à porter à mon compte

CHARITY (n)
charité; (pluriel) bonnes oeuvres
- charity organization – organisme de bienfaisance
- charity stamps – timbres avec surtaxe

CHARNEL-HOUSE (n)
charnier, ossuaire
(F) charnel = (E) carnal, fleshly

CHART (n) — (géographie) carte; tableau, graphique, diagramme; (pluriel) palmarès des disques les mieux classés

- a weather chart — une carte météo
- that song has been in the charts for weeks — voilà des semaines que cette chanson est au hit-parade

CHARTER (n) — charte; statuts; affrètement

CHARTER (v) — accorder une charte; affréter

- chartered accountant — expert-comptable
- chartered plane — avion affrété

CHAT (n) — causerie; bavette

- cut the chat! — assez discutaillé !; assez de baratin !
- chit-chat — potins

CHECK (n) — contrôle, vérification; arrêt momentané, interruption; marque de contrôle, pointage; bulletin de consigne; (US) chèque, note, addition; tissu à carreaux, en damier

- to keep in check — tenir en échec
- check-points on the border between East and West Berlin — postes de contrôle frontaliers entre Berlin Est et Berlin Ouest
- check-room — (US) consigne pour bagages
- the check-in time — l'enregistrement des bagages

(F) chèque = (E) (finance GB) cheque, (bon) voucher

CHECK (v) — contrôler, vérifier; arrêter, enrayer; s'arrêter momentanénément; réprimander, refouler, réprimer; faire échec à; (US) mettre à la consigne

- the police are checking up on what the man told them — la police vérifie les déclarations de l'homme
- to check in — arriver (à l'hôtel); se présenter (à l'enregistrement)
- to check out — régler sa note; (euphémisme) passer l'arme à gauche

CHECKED (adj) — à carreaux; quadrillé

- checked curtains — rideaux à carreaux

CHEMIST (n) — chimiste; pharmacien

CHIFFON (n) — mousseline de soie

- a pink chiffon nightdress — une chemise de nuit en mousseline rose

(F) chiffon = (E) rag

CHINA (n) — porcelaine; (avec majuscule) la Chine

CHIP (n) — copeau, éclat; frite; (informatique) puce
(F) chip = (E) crisp

CHIT (n) — gosse, bambin, mioche; note, petit mot
- a mere chit of a woman — un petit bout de femme

CHOCK (n) — cale, coin
- the road was chock-a-block with cars — (familier) la route n'était qu'un bouchon

(F) choc = (E) shock, impact, crash, blow

CHOCK (v) — caler, mettre sur cales, coincer
- a room chocked up with furniture — une pièce bourrée de meubles

CHOP (n) — côtelette; coup (de hache); repas; bouffe
- to get the chop — (familier) être licencié
- to lick one's chops — se pourlécher les babines

(F) chope = (E) tankard

CHOP (v) — fendre; hâcher; (vent) varier; (vagues)clapoter
- to chop and change — changer continuellement d'opinion

CHUTE (n) — toboggan; chute d'eau; rapide; glissière; (familier) parachute
(F) chute = (E) fall, (cheveux) loss

CIPHER (n) — chiffre; zéro; chiffre secret; monogramme
- he's a mere cipher in the company — c'est une nullité dans la société
- in cipher — en langage codé

CIRCUIT (n) — circuit; tournée; pourtour, enceinte; (sport) parcours; (droit) circonscription
- he's on circuit for most of the year — il est en tournée la plus grande partie de l'année

CIRCULATION (n) — circulation (anatomie, finance); tirage (d'un journal); propagation (d'une) rumeur
- this magazine has a circulation of 400,000 — cette revue tire à 400.000 exemplaires

(F) circulation (transport) = (E) traffic

CIRCUMSTANCE (n) — circonstance; fait, détail; pompe; (au pluriel) situation financière, moyens

- with pomp and circumstance — en grande cérémonie, en grand apparat
- if our circumstances allow it — si nos moyens le permettent

CIRCUS (n) — cirque; rond-point (Piccadilly Circus)

CITRON (n) — cédrat

(F) citron = (E) lemon

CIVET (n) — civette

(F) civet = (E) stew

CIVIL (adj) — civil; civique; poli, courtois

- keep a civil tongue in your head ! — tâchez d'être plus poli !
- the Civil Service — l'administration publique
- a civil servant — un fonctionnaire

CLAIM (n) — revendication, prétention; réclamation; droit, titre; créance; (US) concession

- Brussels' claim to fame is that it has the most beautiful town hall in Europe — Bruxelles fonde ses prétentions à être célèbre sur le fait qu'elle possède le plus bel hôtel de ville d'Europe
- claim form — formulaire de demande; note de frais

CLAIM (v) — revendiquer, exiger; prétendre; solliciter

- the flood claimed hundreds of lives — l'inondation fit des centaines de morts

CLAIMANT (adj) — prétendant, demandeur; requérant

- rival claimants to the throne — des prétendants au trône rivaux

CLAIRVOYANCE (n) — double vue; lucidité somnambulique;

(F) clairvoyance = (E) clearsightedness, perceptiveness

CLAIRVOYANT (adj) — voyant, extra-lucide; somnambule lucide; doué de seconde vue

(F) clairvoyant = (E) clearsighted, perceptive

CLARET (adj) — couleur pourpre foncé; bordeaux

CLARET (n)	vin rouge de Bordeaux
CLAUSE (n)	(grammaire) proposition; clause; disposition
– dependent clause	– proposition subordonnée
CLEAR (adj)	transparent; clair; net; certain, évident; libre, dégagé
– to make clear	– préciser; expliciter
– to be quite clear	– être tout à fait convaincu
– to keep/stand clear	– s'écarter, se garer
– three clear days	– trois jours francs
– I get $ 200 a week clear	– je touche 200 dollars par semaine net
CLEAR (v)	clairifier; éclaircir; débarrasser, dégager; liquider; acquitter; dédouaner; innocenter
– to clear	– en solde
– must be cleared	– tout doit partir
– to clear the decks	– se préparer au travail
– clearing-house	– chambre de compensation
– he was cleared of the murder charge	– il a été disculpé de l'accusation d'assassinat
CLERICAL (adj)	de bureau; de commis; clérical, du clergé
– clerical work	– travail administratif
– clerical error	– faute de transcription; erreur d'écritures
CLERK (n)	employé; clerc de notaire
– deskclerk	– réceptionniste
– salesclerk	– (US) vendeur
– clerk of works	– conducteur de travaux
CLIP (n)	attache; trombone; collier; bague; clip (broche); (US) coupure de presse; (cinéma) extrait; taloche
– clip joint	– (familier) affaire malhonnête (surtout restaurant ou night club)
CLOAK (n)	grande cape; (sens figuré) manteau, voile
– cloakroom	– vestiaire
– as a cloak for sth	– pour masquer qch
– the cloak-and-dagger boys	– les barbouzes
	(F) cloaque = (E) cesspool
CLOWN (n)	clown; rustre, gauche, maladroit

CLUB (n)	massue, gourdin; club (jeu de cartes) trèfle
– club car	– (US) wagon-restaurant
– in the club	– (familier) enceinte
– join the club !	– (familier) je suis dans la même situation; tu n'es pas le seul !
COACH (n)	autocar; voiture de chemin de fer; entraîneur sportif
COACH (v)	donner des cours privés; entraîner
– I coach people for French	– je donne des leçons particulières de français
	(F) cocher = (E) to tick
COIN (n)	pièce de monnaie; jeton
– to pay sbdy back in his own coin	– rendre à qq la monnaie de sa pièce
– coin op	– laverie à libre service
COIN (v)	(monnaie) frapper; fabriquer, former, forger
– a newly-coined word	– un néologisme
COLLATERAL (n)	collatéral; nantissement
– he offered his house as a collateral for the loan	– il a proposé d'hypothéquer sa maison pour obtenir le prêt
COLLECT oneself (v)	se reprendre; se recueillir
COLLECTED (adj)	calme; plein de sang-froid
– how can you stay so collected after an argument ?	– comment pouvez-vous rester si calme après une dispute ?
COLLECTION (n)	accumulation; amas, rassemblement; levée postale; collection
– to take up a collection	– faire la quête
– collection of domestic waste	– voirie, collecte des immondices
COLLECTOR (n)	percepteur, receveur, encaisseur; collectionneur
– stamp collector	– philatéliste
COLLEGE (n)	faculté, université
– he is at law college	– il fait le droit
	(F) collège = (E) grammar school
COLLIER (n)	mineur; navire charbonnier
	(F) collier = (E) necklace

COLON (n)	(ponctuation) deux points; (anatomie) côlon
	(F) colon = (E) settler, colonist
COLT (n)	poulain; débutant, novice; colt
COLUMN (n)	colonne; (presse) rubrique
– his weekly column	– sa rubrique hebdomadaire
– the gossip column	– les échos, les potins
COMBAT fatigue (n)	commotion à la suite d'éclatement d'obus
COMFORT (n)	confort; réconfort; consolation
– that is cold comfort	– c'est une maigre consolation
– comfort station	– (US) toilettes publiques
COMFORT (v)	consoler, réconforter
– comforting words	– des paroles de réconfort
COMICS (n pl)	dessins humoristiques (dans un journal)
– I always read the comics before the political news	– avant de lire les nouvelles politiques, je regarde toujours les dessins humoristiques
COMITY (n)	courtoisie, politesse
– the comity of nations	– la bonne entente entre les nations
	(F) comité = (E) committee
COMMA (n)	virgule; (musique) comma
– inverted commas	– guillemets
	(F) coma = (E) coma
COMMAND (n)	ordre, commandement; maîtrise
– command performance	– (théâtre) représentation spéciale donnée à la requête d'un chef d'état
– self-command	– maîtrise de soi
– he has a perfect command of the English-language	– il maîtrise parfaitement l'anglais
	(F) commande (commerciale) = (E) order
COMMAND (v)	commander (au sens militaire); maîtriser; imposer, exiger; avoir vue sur
– he can't command his temper	– il n'arrive pas à se contrôler
– his attitude commands respect	– son attitude inspire le respect
	(F) commander (au sens commercial) = (E) to order

COMMANDEER (v)	réquisitionner
– the house was commandeered by Nazi troops	– les troupes nazies ont réquisitionné la maison
COMMENCEMENT (n)	commencement; cérémonie de collation des grades académiques
COMMEND (v)	recommander, louer, faire l'éloge de; confier à
– his scheme did not commit itself to the public	– son projet n'a pas été du goût du public
– he commended himself to God	– il s'en est remis à Dieu
COMMENDABLE (adj)	louable, recommandable
– commendable efforts	– des efforts recommandables
COMMENTATOR (n)	reporter radio ou TV
– football commentator	– journaliste spécialisé dans le reportage des matches de football
	(F) commentateur = (E) commenter
COMMISSION (n)	instructions; commande; commission, courtage; ordres, mandat, délégation de pouvoir
– he gave the artist a commission	– il passa commande à l'artiste
– in commission	– (navire) en armement
COMMISSIONAIRE (n)	portier; (hôtel) chasseur, commissionnaire
COMMIT (v)	commettre; confier; engager; (au parlement) renvoyer en commission
– to commit a patient to a mental hospital	– envoyer un malade dans un hôpital psychiatrique
– to commit to paper	– confier par écrit
– without committing myself	– sous toutes réserves
– a committed writer	– un écrivain engagé
COMMITTEE (n)	commission; comité
COMMODE (n)	commode; chaise percée
COMMODIOUS (adj)	spacieux
COMMODITY (n)	denrée, article, produit; chose de valeur
– basic commodities	– produits de première nécessité

- commodity trade – négoce de matières premières
- dollar commodities – matières premières négociées en dollars
- household commodities – articles de ménage
- tact is a valuable commodity – le tact est une denrée rare

(F) commodité = (E) convenience

COMMON (adj) commun; courant, fréquent; vulgaire, trivial
- it is of common occurrence – cela arrive fréquemment
- we are on common convictions – nous avons les mêmes convictions

COMMOTION (n) confusion, agitation, tapage, vacarme, perturbation, vive émotion; insurrection
- in a state of commotion – en émoi
- the commotion in the streets – les bruits de la rue
- what's all the commotion about? – pourquoi tout ce vacarme ?

(F) commotion = (E) shock,(médecine) concussion

COMMUTE (v) échanger, permuter; commuer; faire la navette
- a suburb within commuting distance of the City – un faubourg qui offre des facilités de communication avec le centre-ville

COMMUTER (n) navetteur; banlieusard
- a crowded commuter train – un train bondé de navetteurs

COMPACT (n) pacte, convention; poudrier; (US) petite voiture
- banking compacts – accords inter-banques

COMPANION (n) manuel, vade-mecum, livre de référence; compagnon, gouvernante; dame de compagnie

COMPASS (n) boussole; (pluriel) compas; limites, étendue
- small compass – volume restreint
- it is beyond the compass of human mind – c'est hors de portée de l'esprit humain

COMPASSIONATE leave (n) (armée) permission exceptionnelle pour raisons familiales
- the soldier was given a compassionate leave to attend his mother's funeral – Le soldat a reçu une permission exceptionnelle pour lui permettre d'assister à l'enterrement de sa mère

COMPERE (n) animateur ou animatrice radio-TV; meneur de jeu

(F) compère = (E) accomplice

COMPERE (v) — animer, présenter

COMPETE (v) — faire concurrence; concourir; rivaliser
- several agencies are competing to get the contract — Plusieurs agences se font concurrence pour obtenir le contrat

COMPETENCE, COMPETENCY (n) — compétence; capacité, aptitude; (archaïque) suffisance de moyens d'existence
- she has a bare competence — elle a tout juste de quoi vivre

COMPETENT (adj) — compétent; capable; suffisant; (droit) admissible, recevable
- a competent knowledge of English — une connaissance suffisante de l'anglais

COMPETITION (n) — rivalité; concurrence; compétition
- unfair competition — concurrence déloyale
- competition in business benefits the consumer — la concurrence commerciale profite au consommateur

COMPETITOR (n) — concurrent
- we lost the contract to our competitors — nos concurrents ont emporté le contrat

COMPLACENCE, COMPLACENCY (n) — autosatisfaction, suffisance

(F) complaisance = (E) kindness, indulgence

COMPLACENT (adj) — content de soi-même, suffisant
- complacent optimism — optimisme béat

COMPLAIN (v) — se plaindre; formuler une plainte
- he complained of difficulty in breathing — il se plaignait de difficultés respiratoires

COMPLAINT (n) — plainte; sujet de plainte, grief; maladie, affection
- that is the general complaint — tout le monde s'en plaint
- childish complaints — les maladies infantiles
- to have a cause for complaint — avoir une bonne raison de se plaindre

(F) complainte = (E) lament

COMPLEXION (n) — teint; aspect

– the affair has assumed a serious complexion	– l'affaire a revêtu un caractère grave
– a healthy complexion	– un teint qui reflète la bonne santé
	(F) complexion = (E) constitution, temperament
COMPLIMENTARY (n)	flatteur; gracieux, gratuit
– a complimentary copy	– un exemplaire offert en hommage
– a complimentary ticket	– un billet de faveur
– drinks are served complimentary to first class passengers	– les boissons sont offertes gracieusement aux passagers de première classe
COMPREHENSIVE (n)	global, d'ensemble; étendu; détaillé
– a comprehensive study	– une étude d'ensemble
– comprehensive knowledge	– une vaste érudition
– a man with a comprehensive mind	– un homme large d'esprit
– a comprehensive policy	– une assurance tous risques
– the patients were given comprehensive physical examinations	– les patients ont subi un examen médical complet
– a comprehensive school	– école secondaire "rénovée" regroupant les humanités anciennes, modernes et techniques
	(F) compréhensif = (E) understanding; reasonable
COMPUTATION (n)	calcul, computation; estimation, évaluation
CON (n)	(le) contre; abréviation de : **CONFIDENCE** = confiance **CONVICTED** = prisonnier **COMFORT** = confort
- the pros and cons	– le pour et le contre
- a con-man	– un escroc
- all mod cons	– tout le confort moderne
CON (v)	apprendre par coeur; escroquer
– they conned me out of £ 5	– ils m'ont escroqué 5 livres
CONCERN (n)	intérêt; souci, inquiétude; rapport, relation;affaire; responsabilité; entreprise; truc, bidule
– it's no concern of mine	– ce n'est pas mon affaire
– he was filled with concern	– il était très préoccupé
be CONCERNED (v)	s'inquiéter de, se préoccuper de, être soucieux; (rare) être concerné

– as far as I am concerned	– en ce qui me concerne
– don't be concerned about me !	– ne vous en faites pas pour moi !
	(F) être concerné = (E) to be involved
CONCRETE (n)	béton; (en philosophie) le concret
– reinforced concrete	– béton armé
CONCRETE (v)	bétonner
CONCUSSION (n)	commotion cérébrale; secousse
	(F) concussion = (E) misappropriation of public funds
CONDITION (n)	condition; état; état-civil
– it's out of condition	– c'est en mauvais état
CONDUCTOR (n)	receveur; chef de train; chef d'orchestre; (électricité) conducteur
	(F) conducteur = (E) (transport) driver; (machine) operator; (bestiaux) drover
CONFECTION (n)	sucrerie, friandise; pâtisserie; (rare) confection
	(F) confection = (E) making, preparation; (habillement) clothing industry; wear
CONFECTIONER (n)	confiseur
– baker and confectioner	– boulanger-pâtissier
CONFECTIONERY (n)	confiserie; pâtisserie
CONFIDENCE (n)	confiance; assurance; confidence
– confidence man	– escroc
– confidence game	– abus de confiance
CONFIDENT (adj)	persuadé; confiant; sûr de
– we are confident of success	– nous sommes sûrs de réussir
– self-confident	– sûr de soi
CONFIDENTIAL clerk	homme de confiance
CONFIDENTIAL secretary	secrétaire particulier(e)
CONFINE (v)	limiter; enfermer, emprisonner; confiner
– to confine oneself to facts	– s'en tenir aux faits

– to be confined to bed	– être obligé de garder le lit
– to be confined to barracks	*voir* **BARRACKS**
– to be confined	– accoucher
CONFINEMENT (n)	limitation, restriction; réclusion; accouchement
– confinement to bed	– alitement
– he was put to solitary confinement	– (armée) on l'a mis au secret
	(F) confinement = (E) confining
CONFIRMED (adj)	incorrigible; invétéré
– a confirmed bachelor	– un célibataire endurci
CONFOUND (v)	confondre; déconcerter, bouleverser
– confound you !	– (archaïque) que le diable vous emporte !
CONFOUNDED (adj)	(archaïque) maudit, satané, sacré
– that confounded dog	– ce maudit chien
CONGEAL (v)	(se) congeler; (se) coaguler; (se) figer; (se) cailler
– his blood was congealed	– son sang se figea
CONGREGATION (n)	assemblée, réunion; assistance; (religion) congrégation
CONJURER , CONJUROR (n)	prestidigitateur, illusionniste (F) conjuré= (E) conspirator
CONNECT (v)	relier, joindre, connecter; (transport) donner correspondance à
– most European royal families are connected	– la plupart des familles royales d'Europe sont apparentées
– he's well connected	– il a du piston
– connected speech	– discours suivi
– this flight connects with one for New York	– ce vol est en correspondance avec celui de New York
CONNECTION , CONNEXION (n)	jonction, liaison, rapport; connexion; lien, relation; clientèle; parenté; (transport) correspondance; secte (religieuse)
– in connection with	– relatif à
– he's French but has Belgian connections	– il est français, mais il a des parents en Belgique

– this grocer has a very good connection	– cet épicier a une très bonne clientèle
– wrong connection	– faux numéro
CONSERVATORY (n)	serre; (art, musique, théâtre) conservatoire
CONSERVE (v)	conserver; préserver
– we must conserve our forests	– nous devons préserver nos forêts
CONSERVES (n pl)	conserves de fruits; confitures
	(F) conserves = (E) preserves
CONSIDER (v)	envisager; prendre en considération; considérer comme; examiner
– your suggestions will be carefully considered	– vos suggestions seront soigneusement examinées
– considered opinion	– avis motivé; conviction
CONSIDERATE (adj)	prévenant; attentionné, plein d'égards
– it is considerate of you	– c'est très aimable à vous
– to be considerate towards old people	– être plein d'égards envers les vieilles personnes
CONSIDERATENESS (n)	attentions, égards
CONSIDERATION (n)	considération, estime, égards; attention; rémunération; importance
– proposal under consideration	– proposition à l'étude
– out of consideration for	– eu égard à
– on no consideration	– pour rien au monde
– he would do anything for a consideration	– il ferait n'importe quoi moyennant finances
– it is of no consideration	– cela n'a aucune importance
CONSIGN (v)	envoyer, expédier; livrer; confier
– his letter was consigned to the waste–paper basket	– sa lettre a abouti au classement vertical
	(F) consigner = (E) to confine to barracks (armée), to deposit (bagages)
CONSIGNEE (n)	consignataire; destinataire
CONSIGNMENT (n)	envoi, expédition; arrivage
– goods for consignment abroad	– marchandises à destination de l'étranger

CONSISTENCE, CONSISTENCY (n)	suite, logique; consistance
– his actions lack consistency	– ses actes sont inconséquents
CONSISTENT (adj)	conséquent, logique; compatible, en accord avec
– his ideas are not consistent	– ses idées ne se tiennent pas
	(F) consistant = (E) solid, substantial
CONSOLS (n pl)	fonds consolidés
CONSORT (n)	conjoint (d'un chef d'état); (marine) conserve
– to act in consort	– agir de conserve/concert
CONSORT (v)	fréquenter, frayer avec; s'accorder avec
– to consort with criminals	– frayer avec des criminels
CONSTABLE (n)	agent de police; gardien de la paix; gendarme
CONSTITUENCY (n)	circonscription électorale
– the constituency is/ are voting tomorrow	– les électeurs votent demain
CONSTITUENT (n)	électeur; élément constitutif, constituant
- the constituents of cement	– tout ce qui entre dans la composition du ciment
CONSTITUTIONAL (n)	(humoristique) promenade quotidienne, de santé
CONSTRUCTION (n)	bâtiment, édifice, construction; interprétation
– to put a wrong construction on sb's behaviour	– mal interpréter le comportement de qn
– construction engineer	– ingénieur des travaux publics et des bâtiments
CONSTRUE (v)	analyser mot à mot; interpréter
– I think my remarks have been wrongly construed	– je pense que mes remarques ont été mal interprétées
CONSUMPTION (n)	consommation, dépense; (vieilli) tuberculose
– food unfit for human consumption	– nourriture impropre à la consommation par l'homme
CONSUMPTIVE (adj)	(vieilli) poitrinaire, phtisique, tuberculeux
CONTEMPLATE (v)	contempler; projeter, envisager

- I do not contemplate any opposition from him – je ne m'attends pas à la moindre opposition de sa part
- the possibility of war is too horrible to contemplate – envisager la possibilité d'une guerre est chose trop horrible

CONTEMPLATION (n) contemplation, méditation; projet, intention
- it is as yet only in contemplation – ce n'en est encore qu'à l'état de projet
- in contemplation of – en prévision de

CONTEMPT (n) mépris, dédain; (justice) désobéissance
- he was charged with contempt of court – il fut inculpé d'outrage à la Cour

CONTENT (n) contentement, satisfaction; contenu
- you can eat to your heart's content – vous pouvez manger tout votre soûl
- contents – table des matières
- food with a high fat content – nourriture riche en graisses

CONTENTION (n) dispute, démêlé; affirmation
- my contention is ... – je soutiens que ...
- bone of contention – pomme de discorde

CONTEST (n) lutte; concours, épreuve
- a beauty contest – un concours de beauté

(F) contestation = (E) questioning, disputing, contesting

(F) sans conteste = (E) beyond dispute, undoubtedly

(F) élever une contestation = (E) to raise an objection

CONTEST (v) contester; débattre; disputer
- to contest for a prize – disputer un prix

CONTESTANT (n) concurrent; adversaire

(F) contestataire = (E) protester

CONTINENT (n) (avec majuscule) l'Europe

CONTINENTAL (adj) européen; continental

CONTINGENCY (n) éventualité; imprévu; contingence
- to provide for contingencies – parer à l'imprévu

– we have contingency plans ready in case	– des plans d'urgence sont prévus au cas où ...
– contingency sample	– échantillon lunaire (prélevé dès l'alunissage)
CONTINGENT (adj)	fortuit, accidentel; contingent
– contingent expenses	– dépenses non prévues
– contingent on ...	– sous réserve de ...
CONTINUITY (n)	continuité (d'action); (cinéma) scénario, script
– continuity-girl	– script-girl
	(F) continuité (tradition, politique) = (E) continuation
CONTRACTOR (n)	entrepreneur, adjudicataire
CONTRIBUTION (n)	contribution; cotisation; réquisition; article (écrit pour un journal)
– a regular contribution to a magazine	– une chronique régulière dans une revue
CONTROL (v)	contrôler; diriger, gouverner
– to control oneself	– se maîtriser
– state-controlled school	– école publique
CONVENE (v)	convoquer, réunir; se réunir
– they convened for an emergency session	– ils se sont réunis en séance urgente
	(F) convenir = (E) to suit
	(F) convenir de = (E) to admit, to agree upon
CONVENIENCE (n)	commodité, convenance
– for convenience	– pour la facilité
– to make a convenience of sb	– abuser de la bonté de qn
– it is a great convenience	– c'est bien pratique
– all modern conveniences	– tout le confort moderne
– convenience foods	– plats préparés
– public conveniences	– toilettes publiques
CONVENIENT (adj)	commode; pratique
– if it is convenient to you	– si cela vous arrange
– he put it down on a convenient chair	– il l'a déposé sur une chaise qui se trouvait à sa portée
CONVERSANT (adj)	familier, intime; au courant

– make sure you are conversant with all the rules	– assurez-vous d'être au courant de toutes les règles
– are you conversant with the facts of the case?	– êtes-vous au courant de tous les éléments de l'affaire?
CONVERSE (adj)	opposé, inverse, contraire
CONVERSELY (adv)	inversement, réciproquement
– and conversely	– et vice versa
CONVERSION (n)	conversion; transformation
– improper conversion of funds	– détournement de fonds, malversations
CONVERT (v)	convertir; détourner (des fonds); arranger
– they have converted one of the rooms into a bathroom	– ils ont aménagé une des pièces en salle de bains
CONVERTIBLE car	voiture décapotable
CONVEY (v)	transporter; transférer; faire comprendre
– I couldn't convey my meaning to him	– je n'ai pas pu me faire comprendre de lui
	(F) convoyer = (E) to escort
CONVICT (n)	prisonnier, détenu, condamné; forçat
– an escaped convict	– un prisonnier évadé
CONVICT (v)	déclarer, reconnaître coupable
– we haven't convicted him	– nous n'avons pas pu établir sa culpabilité
– to convict sb of error	– convaincre qn d'erreur
CONVICTION (n)	condamnation; conviction
– he is open to conviction	– il ne demande qu'à être convaincu
– his conviction caused rioting in the streets	– sa condamnation provoqua des émeutes dans les rues
COOLANT (n)	agent de refroidissement
COPY (n)	copie; exemplaire, numéro; sujet d'article
– a rough copy	– un brouillon
– a fair copy	– une copie au net
– that's always good copy	– c'est un sujet qui rend toujours bien

CORN (n)
grain, blé; (US) maïs; cor, durillon; (US) bourbon; humour bébête; sentimentalité vieillotte

- to tread on sb's corns – marcher sur les pieds de qn

(F) corne = (E) horn

CORPORATION (n)
corps constitué; (droit) personne civile, morale; (US) société anonyme; corporation; (familier) ventre, bedon, bedaine

- the municipal corporation – le conseil municipal ou communal
- a public corporation – une société nationale ou nationalisée
- he's developing a corporation – il commence à prendre de la brioche

CORPSE (n)
cadavre (surtout humain)

(F) corps = (E) body

CORSAGE (n)
corsage; bouquet de fleurs porté au corsage

CORTEGE (n)
cortège funèbre

(F) cortège = (E) procession

COSTUME (n)
costume traditionnel; (vieilli) tailleur

- bathing costume – maillot de bain
- a costume play – une pièce jouée en habits d'époque
- costume jewellery – des bijoux en toc
- in costume – déguisé

(F) costume (en général) = (E) suit

COT (n)
lit d'enfant; lit de camp

- cot death – mort subite du nouveau-né

CO - TENANT (n)
colocataire

COUCH (n)
canapé, divan

- to be on the couch – (US, sens figuré) être en analyse

COUNTENANCE (n)
contenance; expression du visage, mine; appui, encouragement

- keep your countenance! – ne vous laissez pas décontenancer!
- to give countenance to a plan – appuyer un projet

COUNTRY (n)
pays, patrie; campagne

- a country town – une ville de province

(F) contrée = (E) land, region

COUPLET (n)

distique
(F) couplet = (E) verse

COURSE (n)

cours; parcours, chemin, direction; terrain; service, plat

- of course – bien sûr, naturellement
- he gave a course of lectures on Proust – il a donné une série de conférences sur Proust
- in due course – en temps utile
- the law must take its course – la justice doit suivre son cours
- the main course – le plat de résistance

(F) course = (E) race, running

COURT (n)

cour (sens figuré); tribunal; ruelle, impasse; (tennis) court

- to bring sb to court – traduire qn en justice
- court shoe – escarpin

COURTIER (n)

courtisan
(F) courtier = (E) broker

CRAB (n)

crabe; pommier sauvage; (médecine) morpion

CRANE (n)

grue
(F) crâne = (E) skull

CRANE forward (v)

tendre le cou
(F) crâner = (E) to swank, to show off, (US) to put on the dog

CRAVAT (n)

foulard
(F) cravate = (E) tie

CRAYON (n)

craie à dessiner; crayon pastel
(F) crayon = (E) pencil

CREDIT (n)

crédit; créance; croyance, foi; honneur, réputation

- it does him credit – c'est tout à son honneur
- I gave you credit for being more sensible – je vous supposais plus raisonnable

CREDIT (v)

attribuer, reconnaître; ajouter foi à; créditer

- he was credited with miraculous powers – on lui attribuait des pouvoirs miraculeux

CRESCENT (n) — croissant; rue en arc de cercle
- medieval wars between Cross and Crescent — les guerres médiévales entre la chrétienté et l'islam

CROCK (n) — cruche ou pot de terre; vieux cheval; vieux tacot; (familier) croulant
- we old crocks can't run like you — nous les croulants, on ne sait pas courir comme vous

F croc = E fang; hook

CROCKS (n pl) — (familier) vaisselle; débris de faïence

CROCODILE (n) — crocodile; (GB) élèves marchant en rang deux par deux

CROTCHET (n) — (musique) noire; (familier) lubie, manie, toquade

F croche = E quaver
F crochet = E hook

CRUDE (adj) — brut; brutal; grossier
- crude fruit — fruit vert
- crude oil — pétrole brut
- a crude estimate of the cost — un devis approximatif

F cru = E raw

CRUDENESS , CRUDITY (n) — état brut; verdeur, grossièreté; caractère rudimentaire
- the crudity of their building methods — le manque de fini de leur façon de construire

F crudité (langage) = E crudeness, bluntness, coarseness
F crudités (légumes) = E salads

CRY (n) — cri; slogan; pleurs
- within cry — à portée de voix
- it's a far cry from here — c'est loin d'ici
- to have a good cry — donner libre cours à ses larmes

CUB (n) — petit (d'un animal); petit morveux
- cub-scout — (scoutisme) louveteau
- cub-reporter — jeune reporter

CURATE (n) — vicaire

F curé = E parish priest

CURATOR (n)	conservateur (d'un musée); curateur
CURE (n)	remède; guérison; cure (également en religion)
CURE (v)	guérir; (viande) saler ou fumer (F) curer (égout, fossé) = (E) to clear, to clean out
CURRANT (n)	raisin sec; groseille; cassis
CURRENCY (n)	devise, unité monétaire d'un pays; cours, circulation
– to give currency to a rumour	– faire courir un bruit
– to realign currencies	– effectuer un réalignement monétaire
CURSE (n)	malédiction; juron
– to call down a curse on sb	– maudire qn
– curses !	– zut !
CURSE (v)	maudire; jurer
– curse the child !	– maudit enfant !
CUSTOM (n)	coutume, usage; clientèle; (au pluriel et avec majuscule) douane(s)
– custom-made clothes	– des vêtements faits sur mesure
– a Customs officer	– un douanier
CUSTOMER (n)	client; type
– a queer customer	– un drôle de coco
CYCLE (n)	cycle; bicyclette
CYNICAL (adj)	cynique; désabusé; sceptique
– a cynical remark	– une remarque sarcastique
CYGNET (n)	jeune cygne

DAIS (n)
estrade
(F) dais = (E) canopy

DAME (n)
(US familier) femme; (GB, avec majuscule) titre honorifique correspondant au masculin KNIGHT
- Who's that dame ? – Qui c'est, cette pépée ?

DAMN (v)
damner; condamner; critiquer défavorablement; maudire
- the play was damned by the critics – les critiques ont démoli la pièce
- damn you/ your impudence! – que le diable vous emporte!

DAMNABLE (adj)
détestable, odieux

DAMNED (adj)
sacré, satané, maudit; damné
(adv)
bigrement, vachement
- he's a damned nuisance! – quel enquiquineur!
- isn't that the damnedest thing you've ever heard ? – n'est-ce pas là la chose la plus surprenante que l'on ait jamais entendue ?

DATA (n pl)
faits; (informatique) données
- data file – fichier informatisé
- data processing – traitement de données

DATE (n)
date; rendez-vous galant; petit(e) ami(e); datte
- we haven't had a reply to date – nous n'avons pas encore reçu de réponse à ce jour
- you can bring your date to the party ! – amène donc ta petite amie à la soirée!

DATE (v) — dater; donner une date à; remonter à; fixer un rendez-vous galant

– she's been dating him for months – elle sort avec lui depuis des mois

DAUB (n) — enduit, barbouillage

(F) daube (viande) = (E) stew casserole

DEBONAIR (n) — raffiné; doucereux

(F) débonnaire = (E) easy-going, good-natured

DECANTER (n) — carafon, carafe

DECEIVE (v) — tromper, abuser, duper

(F) décevoir = (E) to disappoint

DECENCY (n) — décence; bienséance, pudeur

– to observe the decencies – respecter les convenances

DECENT (adj) — correct, convenable; décent (US) terrible, formidable

– quite decent people – des gens comme il faut

– decent behaviour – comportement convenable

DECEPTION (n) — tromperie, supercherie, fraude

- a gross deception – une fraude flagrante

(F) déception = (E) disappointment

DECIDER (n) — point ou facteur décisif; (jeu) la belle

DECLAIM (v) — déclamer; s'indigner

DECREE (n) — décret; arrêt; jugement; arrêté

DEFACE (v) — dégrader, défigurer, mutiler (une statue), abîmer, lacérer, oblitérer

DEFALCATION (n) — détournement de fonds; déficit

DEFENDANT (n) — défendeur; prévenu, accusé

DEFIANCE (n) — défi

– in defiance of the law – au mépris de la loi

(F) défiance = (E) distrust, mistrust

DEFIANT (adj) — provoquant; de défi
- a defiant attitude — une attitude provocante

(F) défiant = (E) distrustful, mistrustful

DEFILE (v) — défiler; souiller, salir, polluer
- the animals defiled the water — les animaux ont souillé l'eau

DEFILEMENT (n) — souillure, pollution, profanation
- free from defilement — sans tache

DEFINITE (adj) — bien délimité; très visible; défini; certain; clair; catégorique
- he was quite definite about it — il a été très clair à ce sujet
- to come to a definite understanding — parvenir à un accord précis

DEFINITELY (adv) — décidément; nettement; certainement; catégoriquement
- she's definitely not coming — elle ne viendra certainement pas

(F) définitivement = (E) for good, definitively

DEGREE (n) — degré; diplôme universitaire
- first degree — licence

DEJECT (v) — abattre, décourager, déprimer

DEJECTION (n) — découragement, abattement;

(F) déjection = (E) evacuation, excrement

DELAY (n) — retard; sursis; délai; arrêt
- flights subject to delay because of the fog — en raison du brouillard les vols peuvent subir du retard
- after 2 or 3 delays — après deux ou trois arrêts

DELAY (v) — retarder, différer
- they delayed publishing the report — ils ont différé la publication du rapport

DELIBERATE (adj) — délibéré; réfléchi, avisé, bien pesé
- he walked in deliberately — il entra sans hâte

DELICATESSEN (n) — plats préparés; traiteur

DELINQUENT (adj)	délinquant; coupable; fautif
– delinquent taxes	– (US) impôts non payés
DELIVER (v)	livrer; remettre, confier; restituer; sauver, délivrer
– delivered free	– livraison franco
– to deliver a speech	– prononcer un discours
– to deliver a blow in the cause of freedom	– rompre une lance en faveur de la liberté
– to be delivered of a son	– accoucher d'un fils
	(F) délivrer = (E) to release
DELIVERY (n)	livraison, distribution; débit, élocution, façon de s'exprimer en public; accouchement
– deliveryman	– livreur
– slow delivery	– débit lent
DELUGE (v)	inonder, submerger
– he was deluged with questions	– il fut assailli de questions
DEMAND (n)	exigence, revendication; demande
– supply and demand	– l'offre et la demande
– our goods are in great demand	– nos articles sont très recherchés
– the work makes great demands on my time	– ce travail me prend beaucoup de temps
	(F) demande = (E) request
DEMAND (v)	exiger, réclamer, revendiquer
– I demand an apology	– j'exige des excuses
DEMEAN oneself (v)	s'abaisser (à)
– don't demean yourself by answering him	– ne t'abaisse pas à lui répondre
	(F) se démener = (E) to thrash about
DEMEANO(U)R (n)	air, tenue, maintien, attitude, comportement
– a friendly demeanour	– une attitude amicale
DEMISE (n)	décès, mort; (droit) cession ou transfert par legs
– the demise of a famous newspaper	– la disparition d'un journal célèbre
DEMONSTRATE (v)	démontrer; expliquer; manifester
– they demonstrated against the government's nuclear policy	– ils ont manifesté contre la politique nucléaire du gouvernement

DEMONSTRATION (n)	démonstration; manifestation; témoignage
DEMONSTRATOR (n)	démonstrateur; préparateur; manifestant
DENOMINATION (n)	catégorie; culte, confession; dénomination, appellation; unité (de mesure)
– small denominations	– des petites coupures
– a denominational school	– une école confessionnelle
DENSE (adj)	dense; stupide, bête; (optique) opaque; (US) profond (sens)
– a dense person	– une personne à l'esprit obtus
DENT (n)	entaille, bosse, marque d'un coup; brèche
– the holiday has made a dent in my savings	– les vacances ont sérieusement entamé mes économies
DEPARTMENT (n)	département; service; domaine; rayon; ministère
– head of department	– chef de service
– State Department	– (US) Ministère des Affaires Etrangères
DEPENDABLE (adj)	sérieux, sûr, digne de confiance, bien fondé
– a dependable source of income	– une source de revenus sûre
DEPENDANT (n)	personne à charge
– dependants	– charges de famille
DEPENDENCE , DEPENDENCY (n)	dépendance, sujétion; confiance en
– he's not a man you can put much dependence on	– ce n'est pas un homme à qui se fier
DEPENDENT (adj)	qui dépend de; qui est à la charge de
– to be dependent on foreign aid	– être tributaire de l'aide extérieure
– dependent clause	– proposition subordonnée
DEPORT (v)	déporter; expulser
DEPORT oneself (v)	se comporter
DEPORTATION (n)	expulsion (d'un pays); déportation
– deportation order	– arrêté d'expulsion

DEPORTMENT (n)	comportement; maintien
– deportment lessons	– leçons de maintien
DEPOSIT (n)	acompte; provision; arrhes; couche, gisement
– to put down a deposit with an agent	– déposer une provision chez un agent
DEPRECIATION (n)	depréciation; amortissement; moins-value
DEPRESS (v)	déprimer; abaisser; appuyer sur
– depress this button to rewind the tape	– appuyez sur ce bouton pour rebobiner
DEPRESSION (n)	découragement; dépression; crise économique
– the Great Depression	– la crise économique des années trente
DEPUTIZE (v)	remplacer, assurer un intérim
– who's going to deputize you during your absence ?	– qui va te remplacer pendant ton absence ?
DEPUTY (n)	personne à qui on délègue des pouvoirs; fondé de pouvoir; substitut; délégué
– deputy-chairman	– vice-président
	(F) député = (E) Member of Parliament, M.P.
DERIDE (v)	railler, se moquer de
	(F) dérider = (E) (front) to uncrease, (personne) to brighten up
DERIVE (v)	tirer son origine de, provenir de; dériver de
– to derive pleasure from	– trouver plaisir à
– to derive advantage from	– trouver avantage à
DESERT (v)	déserter; abandonner, délaisser
– a deserted child	– un enfant abandonné
DESERTS (n pl)	mérites; dû
– he has got his deserts	– il n'a que ce qu'il mérite
DESERVE (v)	mériter; être digne de
– the idea deserves consideration	– l'idée mérite réflexion
DESIGN (n)	dessein; projet; intention; modèle; plan

– (decorative) design	– dessin d'ornement, décoration
– design office	– bureau d'études
– car of the latest design	– voiture dernier modèle
– he has designs on her	– il a des vues sur elle
– by chance or by design ?	– par hasard ou à dessein ?
DESIGN (v)	créer pour; destiner à
– well-designed piece of furniture	– meuble aux lignes étudiées
– this book is designed for use in colleges	– ce livre est destiné aux universités
DESTITUTE (adj)	dépourvu, dénué de; indigent
– they were utterly destitute	– ils manquaient de tout
DESTITUTION (n)	dénuement, indigence, misère noire (F) destitution = (E) dismissal, discharge, deposition
DETACHED (adj)	séparé; isolé; désintéressé
– in a detached manner	– d' une manière désinvolte
– detached house	– maison quatre façades
DETAIL (n)	détail; renseignements; détachement militaire
– detail drawing	– épure
DETAIL (v)	détailler; énumérer; affecter à, désigner
– he detailed three soldiers to look for water	– il a chargé trois soldats d'aller chercher de l'eau
DETAIN (v)	retenir, empêcher de partir; détenir; mettre en retenue, consigner
– am I not detaining you ?	– est-ce que je ne vous retarde pas trop longtemps ?
– the police have detained the man for questioning	– la police a gardé l'individu aux fins d'interrogatoire
DETENTION (n)	détention; consigne; retenue; (armée) arrêts
DETER (v)	détourner, décourager; faire obstacle
– we need severe punishments to deter people from dealing in drugs	– il faut des peines sévères pour décourager les trafiquants de drogue
DETERMINED (adj)	résolu à, déterminé; établi
– determined chin	– menton volontaire
– he is quite determined to do it	– il veut absolument le faire

DETERRENT (adj)	dissuasif, préventif
– to have a deterrent effect	– avoir un effet dissuasif
DETERRENT (n)	arme de dissuasion
– the nuclear deterrent	– la dissuasion nucléaire
DEVICE (n)	moyen; système, dispositif; appareil; formule; ruse, stratagème; (héraldique) devise, emblème
– he was left to his own devices	– il était livré à lui-même
– a missile with a heat-seeking device	– un missile thermoguidé
DEVISE (n)	legs immobilier (F) devis = (E) estimate, specification (F) devise = (E) currency (finance); motto
DEVISE (v)	imaginer, inventer; tramer, ourdir; léguer des biens immobiliers
– they devised a plan for getting their fortune out of the country	– ils conçurent un plan pour sortir leur fortune du pays (F) deviser = (E) to converse
DEVOTE (v)	vouer; consacrer à
– devoted to work	– assidu au travail
– two pages of the paper were devoted to ...	– deux pages du journal étaient consacrées à ...
DEVOTEE (n)	partisan; fervent, admirateur (de); dévôt
DEVOTION (n)	dévouement; loyauté; dévotion, piété
DIAMOND (n)	diamant; losange; (jeu de cartes) carreau
– the queen of diamonds	– la dame de carreau
DIARY (n)	journal (personnel); agenda; calendrier
– I'll look in my diary to see if I am free	– je vais jeter un coup d'oeil dans mon agenda pour voir si je suis libre
DICTATE (n)	commandement, règle
– obey the dictates of your conscience	– il faut obéir à la voix de votre conscience
DIFFERENCE (n)	différence; divergence, écart, léger différend

– difference of opinion	– divergence d'opinions
– it makes no difference to me	– cela m'est parfaitement égal
– a car with a difference	– une voiture pas comme les autres
– settle your differences!	– mettez-vous d'accord!
DIGEST (n)	sommaire; abrégé; condensé
– a digest of Belgian financial laws	– un condensé du droit financier belge
DIGEST (v)	digérer; résumer, condenser; assimiler
DIGITAL (adj)	qui a rapport aux chiffres; numérique; (technique) digital
	(F) empreintes digitales = (E) finger prints
DILAPIDATE (v)	délabrer, dégrader fortement
– a dilapidated old car	– un vieux tacot
	(F) dilapider = (E) to waste, to squander, to embezzle
DILAPIDATION (n)	délabrement; dégradation
– dilapidations	– (GB) détériorations causées à un appartement meublé et indemnité à payer de ce fait
	(F) dilapidation = (E) squandering, wasting
DILATE (v)	(se) dilater; raconter en détail
– to dilate upon a subject	– s'étendre sur un sujet
DILUTION of labour	adjonction de main-d'oeuvre non qualifiée
DIME (n)	(US & Canada) dixième de dollar
– a dime novel	– un roman de quatre sous
– a dime store	– un prisunic
– a dime a dozen	– on en trouve treize à la douzaine
	(F) lever la dîme sur = (E) to tithe sth
DINER (n)	dîneur; (US) wagon-restaurant; (US) petit restaurant le long de la route
	(F) dîner = (E) dinner
DINETTE (n)	coin-repas (dans un studio)
DIRE (adj)	désastreux; néfaste; affreux

– dire poverty	– misère noire
– the company is in dire straits	– la société est dans une situation désespérée
DIRECT (v)	diriger, gouverner; orienter, adresser; ordonner
– to direct the traffic	– régler la circulation
– as directed	– (médicament) suivant les indications du médecin
DIRECTION (n)	direction; sens; (pluriel) adresse; (pluriel) instructions; indication; mise en scène
– in every direction	– en tous sens
– under the direction of	– sous la conduite de
– directions for use	– mode d'emploi
– direction finder	– radiogoniomètre
DIRECTOR (n)	administrateur, gérant; metteur en scène, réalisateur; (parfois) directeur
– he's on the board of directors	– il siège au conseil d'administration
	(F) directeur = (E) headmaster (école), manager, top executive
DIRECTORY (n)	répertoire d'adresse; annuaire de téléphone, bottin
DISAGREEMENT (n)	désaccord; différend; mésentente
– a considerable disagreement between two estimates of the cost	– une différence énorme entre deux devis
	(F) désagrément= (E) annoyance, trouble, displeasure
DISCHARGE (n)	décharge, déchargement; renvoi; libération, acquittement, démobilisation; (dette) paiement; accomplissement d'un devoir; (médecine) suintement, pertes, suppuration
– discharge pipe	– tuyau d'évacuation
– in full discharge	– pour acquit
– discharge in bankruptcy	– réhabilitation d'un failli
– in the discharge of his duties	– dans l'exercice de ses fonctions
DISCHARGE (v)	décharger; congédier; libérer; acquitter, s'acquitter de; tirer, faire feu; (médecine) suinter
– the aircraft discharged its passengers	– les passagers débarquaient de l'avion

– to discharge a patient	– renvoyer un malade chez soi
– to discharge a duty	– s'acquitter de son devoir
DISCONNECTED style	style décousu
DISCREDIT (n)	discrédit; doute
– to throw discredit upon a statement	– mettre en doute une affirmation
– he's a discredit to his family	– c'est la honte de la famille
DISCREDIT (v)	discréditer; ne pas croire, mettre en doute
– to discredit an evidence	– mettre une preuve en doute
DISCREET (adj)	discret; avisé, sage; réservé
– a discreet silence	– un silence prudent
DISCRETE (adj)	distinct, discontinu
– discrete spots of colour	– des taches de couleur nettes et distinctes
DISCRETION (n)	discrétion; sagesse; silence judicieux
– use your discretion!	– faites comme bon vous semblera!
– you have full discretion to act	– vous avez carte blanche
– years of discretion	– âge de raison
DISCRIMINATE (v)	distinguer, faire des distinctions; discriminer
– discriminating ear	– ouïe fine
– discriminating tariff	– tarif préférentiel
DISCRIMINATION (n)	discernement; discrimination
– a man of discrimination	– un homme de jugement
DISCURSIVE (adj)	qui saute du coq à l'âne, décousu
– to write in a discursive style	– écrire dans un style décousu
DISCUSS (v)	discuter; débattre
– to discuss a bottle of wine	– déguster, vider une bonne bouteille
DISGRACE (n)	disgrâce; honte, déshonneur
– the price of butter is a disgrace	– le prix du beurre est un scandale
DISGRACE (v)	déshonorer; disgrâcier
– he disgraced himself by drinking too much	– il s'est mal conduit en buvant trop

DISORDER (n) désordre(s); trouble(s), affection
- mental disorder – dérangement de l'esprit

DISPATCH (*also*: DES-) (n) dépêche; envoi, expédition
- the soldier was mentioned in dispatches – le soldat a été cité à l'ordre du jour

DISPATCH (*also*: DES-) (v) expédier; en finir rapidement;(euphémisme) tuer, liquider
- we soon dispatched the cake – on a vite liquidé le gâteau

DISPENSE (v) dispenser; administrer
DISPENSE with (v) se passer de; rendre superflu
- to dispense a prescription – préparer une ordonnance
- the new computer system will dispense with the need for keeping files – le nouveau système informatisé nous fera faire l'économie de la tenue des dossiers

DISPENSER (n) pharmacien; distributeur automatique
- a cash dispenser – un distributeur automatique de billets

DISPLEASURE (n) mécontentement; courroux; désaccord

DISPOSABLE (adj) à usage unique; disponible; (revenu) net; (archaïque) dont on peut facilement se défaire
- disposable handkerchiefs – mouchoirs en papier
- disposable wrapping – emballage perdu
- disposable cigarette lighter – briquet non rechargeable
- high disposable income – revenu net élevé

DISPOSAL (n) enlèvement; fait de se débarrasser de; (immobilier) cession, vente; disposition
- waste disposal unit – broyeur d'ordures
- the disposal of troops – la disposition des troupes

DISPOSE (v) disposer, arranger; céder
DISPOSE of (v) se défaire, se débarrasser de
- this disposes me to believe that ... – cela me porte à croire que ...

DISPOSITION (n) caractère, tempérament, inclination, disposition; (immobilier) acte de vente, de cession

DISPROOF (n)	réfutation
DISPROVE (v)	réfuter
DISPUTABLE (adj)	contestable
– the figures are disputable	– les chiffres sont contestables
DISPUTE (n)	débat, contestation; querelle
– the matter in dispute	– l'affaire dont il s'agit
– beyond/past dispute	– incontestablement
– the workers' union is in dispute with the management	– le syndicat est en conflit avec la direction
– three missing cases in dispute	– trois caisses manquantes en litige
	(F) dispute = (E) argument, quarrel
DISPUTE (v)	contester; débattre; disputer
– the soldiers disputed every inch of ground	– les soldats défendaient chaque pouce de terrain
DISREGARD (n)	indifférence; mépris, irrespect
– disregard of the law	– non-observation de la loi
DISREGARD (v)	ne tenir aucun compte de; mépriser, négliger
– he disregarded all our objections	– il n'a tenu aucun compte de nos objections
DISROBE (v)	se déshabiller, enlever un vêtement (de cérémonie)
– after the trial the judge disrobed	– après le procès le juge remit ses habits civils
DISSERTATION (n)	mémoire; exposé; (US) thèse de doctorat
	(F) dissertation = (E) essay
DISSIPATE (v)	dissiper; gaspiller, dilapider; anéantir
DISSIPATED (adj)	dissipé; noceur; frivole
– to lead a dissipated life	– mener une vie de bâton de chaise
DISSONANCE (n)	dissonance; désaccord
DISTANCE (n)	distance; éloignement; intervalle
– in the distance	– dans le lointain
– middle-distance	– second plan
– at this distance in time	– après un tel intervalle de temps

DISTANT (adj)	distant; éloigné, lointain, reculé
– a distant relative	– un parent éloigné
DISTINCT (adj)	distinct, différent; clair, net; marqué
– a distinct improvement	– une amélioration sensible
– I told you distinctly	– je vous l'ai dit expressément
DISTORT (v)	tordre; déformer, altérer, défigurer
– he gave us a distorted version of the events	– il a dénaturé les événements en les racontant
DISTRACT (v)	distraire; affoler; brouiller
– I shall go distracted	– j'en deviendrai fou
– she is distractedly beautiful	– elle est belle à vous rendre fou
DISTRACTION (n)	distraction; interruption; confusion; égarement, folie
– he loves her to distraction	– il l'aime éperdument
DISTRIBUTE (v)	distribuer; partager, répartir; être concessionnaire de
– this plant is widely distributed	– cette plante pousse un peu partout
DIVE (n)	plongeon; plongée; (péjoratif) café; (argot) bouge
– to make a dive	– foncer tête baissée
DIVE (v)	plonger, s'immerger; piquer du nez
– the child dived into the meal	– l'enfant s'est jeté sur la nourriture
DIVERSION (n)	détournement, déviation; divertissement, distraction; diversion
– big cities have lots of diversions	– les grandes villes offrent une infinité de distractions
– it's a diversion from work	– cela distrait du travail
DIVIDE (v)	(se) séparer; (se) diviser, (se) partager; (au Parlement) passer au vote
– the House divided	– la Chambre a procédé au vote
– the policy of divide	– politique consistant à diviser pour mieux régner
DIVINITY (n)	divinité; enseignement religieux
– Doctor of Divinity	– docteur en théologie
DIVISIBLE profits (n pl)	bénéfices à répartir

DIVISION (n)	division, séparation, répartition; partage; (au Parlement) vote
– to challenge a division	– provoquer un vote
– Parliamentary division	– circonscription électorale
– division bell	– sonnerie qui annonce la mise aux voix
DOMESTIC (adj)	familial, de famille, domestique; intérieur
– domestic quarrel	– scène de ménage
– domestics	– articles ménagers
– a domestic sort of woman	– une femme d'intérieur
– domestic airlines	– lignes aériennes intérieures
DOMESTICITY (n)	vie familiale; vie casanière
– a scene of happy domesticity	– une scène de vie familiale heureuse
	(F) domesticité = (E) domestic service, staff of servants
DON (n)	professeur d'université (surtout à Oxford et à Cambridge); don (titre espagnol); (US) chef de la mafia
	(F) don = (E) gift
DOPE (n)	drogue, dope; personne stupide, andouille; information fiable
– give me all the dope!	– donne-moi tous les tuyaux!
DORMANT (adj)	assoupi, au repos
– dormant facilities	– aptitudes à développer
– these tulip bulbs remain dormant for about six months	– ces bulbes de tulipes restent en sommeil pendant environ six mois
	(F) dormant = (E) still (eau), dead (compte)
DORMER (- window) (n)	lucarne
DOT (n)	point
– on the dot	– à l'heure tapante
	(F) dot = (E) dowry
DOT (v)	mettre un point sur; pointer; pointiller
– this textbook is supposed to be for advanced students but it really dots the i's ...	– ce manuel est censé s'adresser à des étudiants de niveau approfondi mais il met quand même les points sur les i...
	(F) doter = (E) to endow

DOZE (n)	petit somme; assoupissement
DOZE (v)	sommeiller
– to doze off	– s'assoupir
DRAG (n)	drague; traînée; résistance, entrave, frein; bouffée (pipe, cigarette); travesti; (US) piston
– what a drag!	– quelle barbe!
– the main drag	– (US) la grand-rue
– drag coefficient	– coefficient de pénétration dans l'air
DRAG (v)	tirer, traîner; rester en arrière; (se) gripper; faire preuve de mauvaise volonté; draguer (une rivière)
– the play dragged in the second act	– il y avait des longueurs au deuxième acte
– to drag the truth from sb	– arracher la vérité à qn
DRAGONFLY (n)	libellule
DRAIN (n)	tuyau d'écoulement; égout; drain; perte, fuite (d'énergie, etc...)
– brain drain	– fuite des cerveaux
– years of work went down the drain	– des années de travail ont été perdues
DRAIN (v)	drainer; évacuer, faire écouler; épuiser
– to drain a bottle	– vider une bouteille
– to drain sb dry	– saigner qn à blanc
DRAINAGE (n)	système d'égouts; assèchement, drainage
– drainage basin	– bassin hydrographique
– drainage tube	– (médecine) drain
DRAMA (n)	drame; théâtre
– American drama	– le théâtre américain
DRAMATIC (adj)	théâtral, dramatique; spectaculaire
– a dramatic critic	– un critique de théâtre
DRAPER (n)	marchand de nouveautés
DRAPES (n pl)	(GB) tentures; (US) rideaux (F) draps = (E) sheets

DRESS (v) habiller, vêtir; costumer; parer; apprêter; aligner; assaisonner
- to dress (for dinner) – se mettre en tenue de soirée
- to be dressed up to the nines – être tiré à quatre épingles
- salad-dressing – assaisonnement pour salade
- dressed crab – du crabe tout préparé
- to dress a wound – panser une blessure

DRESSER (n) étalagiste; (théâtre) habilleuse; buffet, vaisselier; (US) table de toilette, coiffeuse

DRILL (n) foreuse, mèche à forer; ligne, sillon, semoir; coutil; treillis; (armée) drill
- what's the drill ? – quelle est la marche à suivre ?

DRUG (n) drogue; produit pharmaceutique, médicament
- sleep-promoting drugs – somnifères
- a drug on the market – (sens figuré) une marchandise invendable
- drug pusher – revendeur

DUAL (adj) double; à deux
- dual carriageway – route à quatre bandes
- dual controls – (automobile & aviation) double commande

DUCK (n) canard, cane; (armée) véhicule amphibie; plongeon involontaire; toile fine
- he's a duck! – c'est un chou, un amour!
- to make a duck – (cricket) faire un score nul
- the crew were in ducks – l'équipage était en blanc
- duck soup – (US, figuré) c'est du gâteau!

(F) duc = (E) duke

DUNGEON (n) oubliette, cachot souterrain; (histoire) donjon

DUTCH (adj) hollandais, néerlandais
- Dutch courage – bravoure après avoir bu
- to go Dutch – partager les frais
- Dutch cap – diaphragme
- it's all Dutch to me – c'est du chinois pour moi

EAGER (adj)	ardent, passionné
– to be eager for sth	– désirer ardemment qqch
– to do sth	– ambitionner de, brûler de faire qch
	(F) aigre = (E) sour, sharp, bitter
ECSTACY (n)	extase; transport de joie, ravissement
– he was in an ecstacy of delight	– il était au comble du ravissement
– to be in ecstacies over	– s'extasier sur
EDIT (v)	(ouvrage, presse écrite et audiovisuelle) annoter, préparer l'impression, diriger la rédaction de, éditer; (film) monter
– edited by	– sous la direction de (série, journal)
	(F) éditer = (E) to publish
EDITOR (n)	rédacteur en chef ou responsable d'une rubrique d'un journal; (radioTV) réalisateur; auteur d'une édition critique; éditeur
– Letters to the Editor	– courrier des lecteurs
– political editor	– chroniqueur politique
	(F) éditeur = (E) publisher
EDUCATE (v)	éduquer, élever (des enfants); donner de l'instruction, faire faire des études
– he was educated at Oxford	– il a fait ses études à Oxford
– an educated man	– un homme instruit,cultivé
– hardly educated at all	– qui n'a guère d'instruction
	(F) bien éduqué = (E) well-mannered, well-bred

EDUCATION (n)	enseignement, instruction, éducation,culture
– education is free	– l'enseignement est gratuit
– literary education	– formation littéraire
– education page	– rubrique de l'enseignement (dans un journal)
EDUCATIONAL (adj)	qui a trait à l'enseignement
– educational work	– travail d'information
– educational age	– niveau scolaire d'un élève)
– educational park	– complexe d'écoles primaires et secondaires
EFFECTIVE (adj)	efficace; impressionnant; valide; solvable; (rare) effectif
– it is effective	– cela fonctionne bien
– effective picture	– tableau saisissant
– effective date	– date d'entrée en vigueur
	(F) effectif = (E) real, actual
EFFECTUAL (adj)	efficace, valide
– effectual remedy	– remède efficace
– effectual document	– document valide
EFFICIENT (adj)	efficace; capable, compétent; efficient
– the efficient working of a machine	– le bon fonctionnement d'une machine
EJACULATE (v)	éjaculer; pousser un cri, s'exclamer
EJACULATION (n)	éjaculation; cri, exclamation
ELECTIONEER (v)	mener une campagne, faire de la propagande électorale
ELEVATED (adj)	éminent, élevé; (style) soutenu
– elevated railroad	– (US) métro aérien
ELEVATOR (n)	(GB) élévateur; (US) ascenseur; (aviation) gouvernail de profondeur
ELIGIBLE (adj)	éligible; admissible
– to be eligible for a pension	– avoir droit à une pension
– to be eligible for a promotion	– satisfaire aux conditions requises pour obtenir une promotion
– an eligible young man	– un bon parti

ELOCUTIONIST (n)	professeur de diction; récitant
EMBRACE (n)	étreinte, enlacement
– standing in a tender embrace	– tendrement enlacés
EMBRACE (v)	(s') étreindre; contenir, renfermer
– to embrace an opportunity	– saisir une occasion
– an all-embracing review	– une critique extensive
	(F) embrasser = (E) to kiss
EMERGENCY (n)	urgence, imprévu grave
– emergency exit	– sortie de secours
EMINENCE (n)	éminence; distinction; élévation, monticule
EMPHASIS (n)	accent; accentuation, insistance
– to lay emphasis on	– insister sur, souligner
	(F) emphase = (E) bombast, pomposity
EMPHASIZE (v)	souligner, faire ressortir
– to emphasize the eyes with mascara	– mettre les yeux en valeur avec du mascara
EMPLOYEE (n)	salarié
– employees	– le personnel
	(F) employé = (E) clerk, clerical worker
EMPRESS (n)	impératrice
EMU (n)	émeu; émou
ENCORE (n)	rappel de rideau, bis
– the pianist gave an encore	– le pianiste a joué un bis
ENCORE (v)	bisser, crier bis
ENCOUNTER (n)	rencontre fortuite; (armée) combat
	(F) à l'encontre de = (E) against
ENCOUNTER (v)	rencontrer par hasard; affronter (l'ennemi)
– to encounter enemy fire	– essuyer le feu de l'ennemi
ENCUMBERED estate	propriété ou succession grevée d'hypothèque

ENERVATE (v)	affaiblir, amollir
– enervating climate	– climat débilitant
	(F) énerver qn = (E) to get on sb's nerves
ENFORCE (v)	faire valoir; mettre en vigueur
– to enforce a rule	– appliquer un règlement
– to enforce obedience	– se faire obéir
ENGAGED (adj)	engagé, occupé; fiancé
– the engaged couple	– les fiancés
ENGAGEMENT (n)	engagement; rendez-vous; fiançailles
– engagement book	– agenda
– engagement ring	– bague de fiançailles
ENGINE (n)	machine; appareil; moteur; locomotive
– to sit facing the engine	– être assis dans le sens de la marche
	(F) engin = (E) machine, instrument, tool, contraption
ENGROSS (v)	accaparer, absorber, monopoliser, captiver
– engrossing game	– jeu captivant
– he was engrossed in his work	– il était tout entier à son travail
	(F) engrosser = (E) to knock up, to get pregnant
ENGROSSMENT (n)	(US politique) rédaction définitive d'un projet de loi
ENLARGE (v)	agrandir, augmenter, amplifier, dilater
– to enlarge upon a subject	– s'étendre sur un sujet
	(F) élargir = (E) to widen
ENLARGEMENT (n)	agrandissement, dilatation, élargissement; hypertrophie
ENLIST (v)	s'engager (à l'armée), s'enrôler
– enlisted man	– simple soldat
ENTAIL (n)	bien substitué, indisponible
	(F) entaille = (E) cut, groove, gash (dans falaise)
ENTAIL (v)	occasionner, entraîner
– to entail an estate	– substituer un héritage
– entailed estate	– biens inaliénables
	(F) entailler = (E) to cut, to gash

ENTERTAIN (v) — amuser, divertir; régaler; donner une réception; méditer

- I wouldn't entertain it for a moment — je repousserais tout de suite une telle idée

(F) entretenir = (E) to maintain, to support, to look after

ENTERTAINMENT (n) — divertissement, spectacle; hospitalité

- entertainment allowance — frais de représentation

(F) entraînement = (E) training

ENTICE (v) — attirer, séduire, allécher

- he enticed her away from her husband — il l'a détournée de son mari

(F) s'enticher de = (E) to become infatuated with

ENTICEMENT (n) — attrait, séduction; appât

- the enticements of a big city — les plaisirs d'une grande ville

(F) entichement = (E) infatuation, passion

ENTITLE (v) — intituler; donner le droit de

- I'm not entitled to do it — je n'ai pas qualité pour le faire
- I think I am entitled to know why — j'estime avoir le droit de savoir pourquoi

ENTRAIN (v) — (faire) embarquer (des troupes) dans un train

(F) entraîner = (E) to pull, to drag, to bring about; (sports) to train

ENTRANT (n) — personne inscrite (à un concours, etc ...); débutant(e)

- entrants should send their competition forms in by the end of the month — les candidats doivent envoyer leurs formulaires de participation avant la fin du mois

ENTRY (n) — entrée; enregistrement, inscription; concurrent, candidat; article, rubrique

- the next entry in this list is "ENVOY" — le mot suivant dans cette liste est "ENVOY"

ENVOY (n) — envoyé diplomatique; ambassadeur

(F) envoi = (E) sending, dispatching, shipment

EPICURE (n)	gourmet, gastronome
EQUAL (adj)	égal; pareil; de même niveau
– he was equal to the occasion	– il s'est montré à la hauteur de la situation
– she did not feel equal to receiving visitors	– elle ne se sentait pas le courage de recevoir
– they fought on equal terms	– ils se sont battus à armes égales
EQUERRY (n)	écuyer; officier de la maison royale (F) équerre = (E) square
EQUIPMENT (n)	équipement; matériel; outillage
– equipment grant	– subvention d'équipement
EQUITY (n)	équité; action ordinaire cotée en bourse; (GB, avec majuscule) syndicat des acteurs
– stockholders' equity	– avoir social
– minority equity	– fonds propres détenus par les participations minoritaires
ERE (conj)	(poétique) avant que
– ere you return	– avant que vous ne reveniez
ERR (v)	faire erreur; s'égarer, s'écarter du droit chemin; (religion) pécher
– to err is human	– l'erreur est humaine
– better to err on the side of caution	– il vaut mieux pécher par excès de précautions (F) errer = (E) to wander
ERRANT (adj)	dévoyé; tombé dans l'erreur
– an errant husband	– (humoristique) un mari infidèle (F) errant = (E) wandering
ESTABLISHMENT (n)	établissement; fondation, création; personnel domestique
– to be on the establishment	– faire partie du personnel
– the Establishment	– l'Eglise anglicane officielle; les classes dirigentes, l'ordre établi
ESTATE (n)	propriété, domaine, biens, fortune; rang, état, condition
– personal estate	– biens mobiliers

– real estate	– biens immobiliers
– life estate	– biens en viager
– estate agent	– agent immobilier
– the fourth estate	– le quatrième pouvoir, la presse
– to reach man's estate	– (littéraire) parvenir à l'âge d'homme
	(F) état = (E) state
ESTIMATE (n)	estimation, évaluation, calcul; devis; (au pluriel, avec majuscule) les prévisions budgétaires
– the price is only a rough estimate	– ce prix n'est donné qu'à titre indicatif
ESTIMATE (v)	estimer, évaluer; établir un devis
ESTIMATION (n)	jugement; avis, opinion; considération; estime
ESTRANGE (v)	brouiller, éloigner l'un de l'autre, désunir
– the estranged couple	– les époux désunis
EVACUATE (v)	évacuer; déféquer
EVACUATIONS (n pl)	déjections, selles
EVADE (v)	éviter, esquiver, se soustraire à
– to evade a question	– éluder une question
	(F) s'évader = (E) to escape
EVASION (n)	moyen d'éviter; dérobade, échappatoire, faux-fuyant
– without evasion	– sans détours
– she was fined for tax evasion	– elle a reçu une amende pour fraude fiscale
	(F) évasion = (E) escape, flight
EVE (n)	veille d'un jour important
– New Year's Eve	– la Saint-Sylvestre
EVENTUAL (adj)	final, qui s'ensuit, qui en résulte; (rare) éventuel
– it resulted in the eventual disappearance of ...	– cela a finalement abouti à la disparition de ...
– his many mistakes and his eventual failure	– ses nombreuses erreurs et l'échec qui en résulta
– eventual profits	– bénéfices possibles, éventuels
	(F) éventuel = (E) possible, contingent

EVENTUALLY (adv)
– eventually cars built by robots will seem commonplace

finalement, en fin de compte, à la longue, tôt ou tard
– il finira par nous paraître normal que des robots construisent les voitures
(F) éventuellement = (E) possibly

EVICT (v)

expulser, chasser

EVICTION (n)
– eviction order

expulsion; (locataire) éviction
– mandat d'expulsion
(F) éviction (d'un rival) = (E) ousting, supplanting

EVIDENCE (n)
– evidences for the prosecution
– to bear evidence of
– to turn Queen's (US: State's) evidence

signe, indice; preuve; témoignage
– témoins à charge
– porter la marque de
– témoigner contre ses complices

(F) c'est une évidence = (E) it is an obvious fact

EVINCE (v)
– to evince curiosity

montrer, témoigner, faire preuve de
– manifester de la curiosité
(F) évincer = (E) (rival) to oust, to supplant; (locataire) to evict

EVOKE (v)

évoquer; provoquer, susciter

EXALT (v)
– he was exalted to the skies
– a person of exalted rank

exalter; élever en rang
– on l'a porté aux nues
– une personne de rang élevé

EXAMINATION (n)
– customs examination

examen; inspection; vérification; (justice) interrogatoire, audition
– fouille douanière

EXAMINER (n)
– the examiners

examinateur, examinatrice
– le jury

EXCAVATIONS (n pl)

(tunnel) creusement; (archéologie) fouilles

EXCEPTIONABLE (adj)

blâmable; répréhensible

EXCESS (n)
– the excess of imports over exports

excès; excédent, surplus
– déficit de la balance commerciale

EXCHANGE (n)	échange; (monnaies) change; (valeurs) bourse
– bill of exchange	– traite bancaire
– labour exchange	– office de placement
– Stock Exchange	– la Bourse
– telephone exchange	– central téléphonique
– rates of exchange	– taux de change
EXCISE (n)	droits d'accises
EXCITEMENT (n)	agitation, surexcitation
– to cause great excitement	– faire sensation
– what's all the excitement about ?	– que se passe-t-il donc ?
EXCITING (adj)	passionnant; excitant
EXCLUSIVE of (prép)	en plus, non compris
– the hotel charges £ 20 a day exclusive of meals	– l'hôtel nous compte vingt livres par jour, repas non compris
EXECUTIVE (adj)	(pouvoir) exécutif; (talent, pouvoir) d'exécution; qui se rapporte à la direction
– the executive arm of the organization	– l'organe exécutif de l'organisation
– executive capability	– capacité d'exécution
– Executive Office of the President	– (US) services administratifs de la Présidence
– executive session	– (US & Canada) session parlementaire
– executive privilege	– (US) immunité parlementaire
– executive officer	– cadre (administratif)
– executive car	– voiture de direction
– executive producer	– directeur de production
EXECUTIVE (n)	cadre; directeur; bureau; pouvoir exécutif
– a senior executive	– un cadre supérieur
– a Shell executive	– un cadre de chez Shell
– the trade union executive	– le bureau du syndicat
– sales executive	– directeur commercial
EXERCISE (v)	exercer; tourmenter, tracasser
– I've been greatly exercised about those problems	– ces problèmes m'ont beaucoup tracassé

EXERCISES (n pl)	exercices; manoeuvres (militaires); (US) cérémonies
– tactical exercises	– évolutions tactiques
– opening exercises	– discours d'ouverture
– graduation exercises	– cérémonie de remise des diplômes
EXHAUST (n)	gaz d'échappement
– exhaust pipe	– tuyau d'échappement
EXHAUST (v)	fatiguer, épuiser
EXHIBITION (n)	exposition; étalage; bourse d'études
– to make an exhibition of oneself	– se donner en spectacle
	(F) exhibition = (E) display, show, presentation
EXHIBITIONER (n)	(GB, universités) boursier(e)
EXHIBITOR (n)	exposant(e) (dans une exposition)
EXHILARATE (v)	vivifier, ragaillardir, stimuler, émoustiller
– exhilarating wine	– vin capiteux
– this sea air is most exhilarating	– cet air marin est très vivifiant
EXHILARATION (n)	allégresse, ivresse
EXIGENCE , EXIGENCY (n)	situation critique, cas pressant
– in this exigency	– dans cette extrémité
– the exigencies of the situation demanded that we take immediate action	– devant l'urgence de la situation il était impératif que nous prenions des mesures immédiates
	(F) exigence = (E) demand, requirement
EXIGENT (adj)	exigent; pressant, urgent
EXILE (n)	exil; exilé(e)
EXPECTANT (n)	qui attend
– expectant mother	– femme enceinte
– expectant heir	– héritier présomptif
EXPEDIENCY (n)	opportunisme
– his behaviour seems to be governed solely by expediency	– sa conduite semble n'être dictée que par l'intérêt personnel

EXPEDIENT (adj)	opportun, indiqué
– do what you think expedient	– faites ce que vous jugerez bon de faire
EXPEDITION (n)	(membres d'une) expédition; (archaïque) célérité, promptitude
EXPEDITIOUS (adj)	expéditif
EXPENSE (n)	dépense, frais; dépens
– he gets all his expenses paid	– il se fait rembourser tous ses frais
– at the expense of	– aux dépens de
EXPENSIVE (adj)	coûteux, cher
– to live expensively	– mener la vie large
EXPERIENCE (n)	expérience; épreuve; événement; aventure
– an unusual experience	– une aventure peu commune
– an unfortunate experience	– une mésaventure
EXPERIENCE (v)	éprouver, ressentir, connaître; souffrir de
– he experiences some difficulty in speaking	– il éprouve de la difficulté à parler
EXPERIMENT (n)	essai, expérience (scientifique)
– an experiment on guinea pigs	– une expérience sur des cobayes
EXPERTISE (n)	compétence, adresse [F] expertise = [E] expert evaluation, appraisal [F] expertise d'avarie = [E] damage survey
EXPLODE (v)	exploser; démontrer la fausseté de
– an exploded idea	– une idée fausse
– to explode the myth that ...	– dégonfler le mythe selon lequel ...
EXPONENT (n)	(mathématique) exposant; interprète, porte-parole d'une idée)
– the principal exponent of this movement	– le chef de file de ce mouvement
EXPOSE (v)	mettre à nu; dévoiler, démasquer, exposer; éventer, dénoncer
– digging has exposed the remains of a temple	– les fouilles ont mis à jour les restes d'un temple

EXPOSITION (n)	exposé; commentaire; exposition; interprétation (plan, théorie)
EXPOSTULATE (v)	protester
EXPOSTULATION (n)	remontrance; protestation
EXPOSURE (n)	exposition (à l'air, au vent, aux intempéries); dévoilement, mise à nu; découverte; dénonciation
– to die of exposure	– mourir de froid
– a house with a southern exposure	– une maison exposée au sud
– to threaten sb with exposure	– menacer qn d'un scandale
EXPRESS (adj)	express; exact; formel
– an express image	– une image fidèle
– an express command	– un ordre formel
– with the express purpose of ...	– dans le seul but de ...
EXPRESS (n)	train rapide, express; (US) compagnie de messageries
– expressman	– employé de messageries express
EXPRESSAGE (n)	(US) service de transport express, colis-express
EXQUISITE (adj)	exquis; vif; très sensible; délicat
EX - SERVICEMAN (n)	ancien combattant
EXTENSIVE (adj)	étendu, vaste, extensif; approfondi; fréquent
– extensive damage	– dommages considérables
EXTENUATE (v)	atténuer, minimiser
– extenuating circumstances	– circonstances atténuantes
	(F) exténuer = (E) to exhaust
EXTENUATION (n)	atténuation
– he pleaded poverty in extenuation of the theft	– il allégua la pauvreté pour atténuer le vol
EXTERMINATOR (n)	(US) employé de la désinfection
EXTRA (adj)	supplémentaire; de qualité supérieure; spécial; de trop, de réserve

– an extra charge	– un supplément à payer
– this is an extra plus	– c'est un avantage supplémentaire
– the wine is extra	– le vin n'est pas compris
– extra police were called	– on a fait venir des renforts de police
	(F) extra = (E) first-rate, fantastic, terrific, great
EXTRACTION (n)	extraction; arrachement; origine
– he is of French extraction	– il a des ancêtres français
EXTRACTOR fan (n)	(GB) ventilateur
EXTRAVAGANT (adj)	extravagant; excessif; dépensier, gaspilleur
– extravagant praise	– des éloges outrés
– extravagant talk	– des paroles excessives
– he is very extravagant with his money	– il jette l'argent par les fenêtres

FABLE (n)	fable; conte, légende
– to sort out fact from fable	– séparer le réel de l'imaginaire
FABRIC (n)	tissu, étoffe; structure
– social fabric	– structure sociale
– silk and woollen fabrics	– soieries et lainages
	(F) fabrique = (E) factory
FACE (n)	figure, visage; face; mine, physionomie; cadran (d'horloge)
– face flannel	– gant de toilette
– to give a face lift	– (se) refaire une beauté
FACE (v)	faire face à; affronter; donner sur
– to face both ways	– ménager la chèvre et le chou
FACILE (adj)	facile (au sens péjoratif); complaisant, accommodant; superficiel; coulant
– to be a facile liar	– être habile à mentir
– a facile idea	– une idée creuse
	(F) facile = (E) easy
FACILITIES (n pl)	installations industrielles, équipements; infrastructure(s); possibilités offertes, mécanismes; facilités
– harbour facilities	– installations portuaires
– we do not have the facilities for that	– nous ne sommes pas équipés pour cela
– shopping and transport facilities	– moyens de transport et magasins à proximité

– a computer with a facility for storing data	– un ordinateur avec possibilité de stocker les données
FACTOR (n)	facteur (sens mathématique et figuré); coefficient; dénominateur; (en Ecosse) régisseur
FACTUAL (adj)	réel; positif; (en philosophie) factuel
– factual description	– description basée sur des faits
FAD (n)	marotte, manie, dada; mode, engouement
– this fad for long skirts	– cet engouement pour les jupes longues
– a passing fad	– une lubie
FADE (v)	baisser, diminuer; se faner; s'éteindre
– curtains faded by the sun	– des rideaux décolorés par le soleil
– faded jeans	– un jean délavé
– fade in (out)	– apparition (disparition) progressive dans un fondu
– guaranteed not to fade	– garanti bon teint
– the sound is fading	– le son s'en va
	(F) fade = (E) tasteless, insipid
FAIL (v)	échouer; manquer, être absent ; faiblir; tomber en panne
– his sight is failing	– sa vue commence à baisser
– don't fail me	– ne me laisse pas tomber
– to fail by 5 votes	– échouer à 5 voix près
FAILURE (n)	échec; défaillance, panne
– the play was a complete failure	– la pièce a été un four
– he's a failure at maths	– il est nul en math
FAINT (adj)	faible, affaibli; léger ; pâle
– to make a faint attempt	– essayer sans y croire
– I haven't the faintest idea	– je n'en ai pas la moindre idée
– she felt faint	– elle s'est sentie mal
FAINT (v)	s'évanouir; s'affaiblir
– to be fainting from hunger	– défaillir de faim
FAIR (adj)	juste, équitable; passable, satisfaisant; considérable; propice; propre, net; blond
– he has a fair chance of success	– il a de réelles chances de réussir
– to go at a fair pace	– aller à vive allure

– to make a fair copy	– recopier au net
– everyone must have a fair share	– à chacun sa chance
– fair weather	– temps beau et sec
– there is a fair amount of money left	– il reste pas mal d'argent
FAIR (n)	foire; fête; kermesse
– the Book Fair	– la Foire du Livre
– to arrive a day after the fair	– arriver quand tout est fini
FALLACY (n)	erreur, illusion
FALSIES (n pl)	(familier) soutien-gorge rembourré
FALSIFY (v)	falsifier; réfuter; tromper (espoir)
FAN (n)	fan, partisan; éventail; ventilateur
FAN (v)	éventer; mettre en éventail; (US, familier) flanquer une fessée
– to fan a fire	– attiser un feu
FANCY (adj)	de fantaisie; de luxe
– fancy dress	– déguisement, travesti
– fancy-dress ball	– bal masqué
– fancy woman	– (péjoratif) maîtresse
– fancy price	– prix exorbitant
– fancy goods	– (US) marchandises de qualité supérieure
FANCY (n)	fantaisie; caprice; envie
– I have a fancy that	– j'ai idée que
FANCY (v)	s'imaginer, se figurer, avoir l'impression
– he fancies her	– il la trouve pas mal du tout
– he fancies himself	– il ne se prend pas pour rien
FANTABULOUS (adj)	(US) superchouette
FANTASY (n)	fantaisie; fantasme
FASHION (n)	façon, manière; mode, vogue
– in the French fashion	– à la française
– out of fashion	– démodé

FASHIONABLE (adj)	à la mode; chic
– it is fashionable to say	– il est de bon ton de dire
FASTIDIOUS (adj)	tatillon; blasé
– fastidious person	– personne difficile à contenter
– fastidious taste	– goût délicat
	(F) fastidieux = (E) tedious, tiresome, boring
FAT (adj)	gras
– a fat pocket-book	– un portefeuille bien garni
– fat lands	– des terres fertiles
– fat farm	– (US, familier) clinique d'amaigrissement
	(F) un fat = (E) a smug, a conceited person
FATAL (adj)	fatal; mortel
– a fatal accident	– un accident mortel
– fatally injured	– grièvement blessé
FATALITY (n)	fatalité; mortalité; accident mortel
– bathing fatalities	– des noyades
FATIGUE (n)	épuisement; fatigue (du métal); corvée(s) militaire(s)
– fatigue dress /fatigues	– tenue de corvée
	(F) fatigue = (E) tiredness
FAUCET (n)	(US) robinet
	(F) fausset = (E) (voix) falsetto, (tonneau) spiget
FAULT (n)	défaut; anomalie; faute
– a fault has been found in the engine	– on a constaté une anomalie dans le moteur
FAUX PAS	faux pas; impair; bévue, gaffe
	(F) faire un faux pas = (E) to stumble, to trip
FAVO(U)R (n)	aide, soutien; service; faveur, grâce
– to do a favour	– rendre service
– to be in favour of	– être pour
– by favour of	– aux bons soins de
FAVO(U)R (v)	favoriser, aider; faciliter
– the weather favoured the journey	– le temps a facilité le voyage

– the child favours its father	– l'enfant ressemble plus à son père qu'à sa mère
FEASIBLE (adj)	faisable, possible; vraisemblable
FEASIBILITY (n)	vraisemblance, plausibilité; faisabilité
– the feasibility of a story	– la vraisemblance d'une histoire
FEAST (n)	fête religieuse; festin, banquet
FEAST (v)	festoyer, se régaler
– to feast on sth	– se régaler de qch
	(F) fêter = (E) to celebrate
FEAT (n)	exploit, prouesse
– feat of architecture	– chef d'oeuvre architectural
– feat of skill	– tour d'adresse
FEATURE (n)	trait, caractéristique; spécialité
– this newspaper makes a feature of sport	– ce journal accorde beaucoup de place au sport
– a two-feature programme	– séance de cinéma comportant deux grands films au même programme
– a regular feature in "LE SOIR"	– une chronique régulière dans "LE SOIR"
FEATURE (v)	montrer comme acteur principal; mettre en vedette; (faire) figurer
– fish often features on the menu	– il y a souvent du poisson au menu
FEE (n)	prix à payer pour un service; honoraires; cachet
	(F) fée = (E) fairy
FELICITOUS (adj)	bien trouvé, à propos; heureux
FELICITY (n)	félicité; expression bien choisie
FELON (n)	criminel(le)
	(F) félon = (E) (adj) perfidious, treacherous; (n) traitor
FELONY (n)	crime; forfait
	(F) félonie = (E) perfidy

FEMALE (adj)	de sexe féminin; femelle
– female impersonator	– travesti
– female labour	– main d'oeuvre féminine
FEMME (n)	efféminé
FENDER (n)	pare-étincelles; pare-chocs; (US, rail) chasse-pierres
– it was just a fender-bender	– ce n'était que de la tôle froissée
FERRET (n)	furet (F) ferret = (E) tag
FESTER (v)	(s') envenimer; suppurer; couver
– the insult festered	– l'insulte lui est restée sur le coeur
FETTER (v)	enchaîner, lier; entraver
FEU (n)	(en droit écossais) bail perpétuel
– feu duty	– loyer de la terre
FIBBER (n)	blagueur; menteur
– you fibber	– espèce de menteur
FIBULA (n)	péroné
FIDGET (v)	se trémousser, gigoter
– to have the fidgets	– avoir la bougeotte
FIERCE (adj)	féroce; farouche; violent
– the competition for jobs is fierce	– il y a une lutte féroce pour obtenir un emploi (F) fier = (E) proud
FIGURE (n)	chiffre; image d'un corps; silhouette; figure historique
– the crime figure	– le taux de criminalité
– double figures	– tout nombre de 10 à 99
– to be good at figures	– être fort en arithmétique
– to keep one's figure	– garder sa ligne
– she was a figure of distress	– elle était l'image même de la détresse
– a figure of fun	– une caricature (F) figure = (E) face

FILE (n)	dossier; classeur, fichier; file; lime
– to have a file on sbdy	– avoir des renseignements sur qq
– data on file	– données fichées
– file clerk	– (US) documentaliste
	(F) file = (E) queue
FILE (v)	classer; marcher en file; limer
– to file a claim	– déposer une requête
– to file an accident claim	– faire une déclaration d'accident
FIN (n)	nageoire; aileron; empennage; dérive; (US) billet de 5 dollars
FINAL (adj)	définitif; final
– the umpire's decision was final	– la décision de l'arbitre était sans appel
– final demand	– dernier avertissement (pour une facture non payée)
FINAL (n)	dernière édition d'un journal; étudiant de dernière année
– late night final	– dernière édition du soir
– the finals	– examens de dernière année; (US sport) la finale
FINEABLE , FINABLE (adj)	soumis à une amende
FINE (adj)	beau; délicat; raffiné
	(F) fin = (E) thin
FINE (n)	amende; contravention
– on-the-spot fine	– perception immédiate d'une amende
FINE (v)	soumettre à l'amende
– he was fined £ 5	– il a eu 5 livres d'amende
FLACK (n)	agent de presse
FLAGON (n)	grande bouteille; bonbonne; cruche
	(F) flacon = (E) bottle, flask
FLAKE (n)	flocon
FLANKER (n)	ailier (au rugby)
FLASH (n)	éclat; éclair; flash

FLASK (n)	fiole; bouteille au goulot étroit
FLAT (n)	appartement
FLIPPER (n)	nageoire
– flippers	– des palmes
	(F) flipper = (E) pin-table
FLOUR (n)	farine
FLUENT (adj)	coulant; aisé
– he speaks fluent French	– il parle couramment français
– he is a fluent speaker	– il a la parole facile
FOND (adj)	affectueux; tendre; aimant
– it is my fondest hope	– c'est mon espoir le plus cher
– to be fond of	– être amateur de, raffoler de
FOOL (n)	imbécile, idiot; sot; mousse
– to make a fool of	– berner, duper
– All Fools' Day	– le premier avril
– foolproof piece of machinery	– pièce indétraquable, indéréglable d'un mécanisme
FOOTBALL (n)	football, mais aussi rugby; ballon, balle
– football special	– trains de supporters
	(F) football (sens strict) = (E) soccer
FOOTING (n)	position; relations
– friendly footing	– relations amicales
	(F) footing = (E) jogging
FORAGE (n)	fourrage
– forage cap	– (armée) calot
	(F) forage = (E) boring
FORAGE for (v)	fouiller pour trouver
FORCE (n)	force; efficacité; valeur
– to come into force	– entrer en vigueur, en application
– a powerful force in the Trade Union	– une influence puissante au sein du syndicat
FORFEIT (n)	amende; gage; prix

– forfeit clause	– clause de dédit
	(F) forfait = (E) fixed price; (sport) withdrawal
FORFEIT (v)	perdre (par confiscation)
– to forfeit one's life	– payer de sa vie
– forfeited	– déchu de ses droits
FORFEITURE (n)	perte par confiscation; déchéance; renoncement
	(F) forfaiture = (E) abuse of authority
FORGE (v)	commettre un faux, contrefaire; forger
– forged passport	– faux passeport
FORGER (n)	faussaire; contrefacteur
FORGERY (n)	contrefaçon, falsification
– to prosecute sb for forgery	– poursuivre qn pour faux et usage de faux
FORM (n)	forme; formalité; formule; formulaire; classe
– in the form of	– sous forme de
– it's a mere matter of form	– c'est une simple formalité
– an application form	– un formulaire d'inscription
– she's got form	– (argot) elle a fait de la taule
FORMAL (adj)	cérémonieux; officiel; solennel; formel
– formal dress	– tenue de cérémonie
– he's very formal	– il est très à cheval sur les convenances
– he has little formal education	– c'est un autodidacte
FORMALITY (n)	formalité; raideur; cérémonie
– let's do without the formalities	– trêve de cérémonies
FORMER (adj)	qui a été mais qui n'est plus; ancien, précédent
– a former student	– un ancien élève
– my former husband	– mon ex-mari
– in a former life	– dans une vie antérieure
– the former ... the latter	– le premier... le second
FORMER (n)	gabarit, calibre
FORMULA (n)	formule; solution; (US) lait en poudre pour biberon
– formula aimed at averting the strike	– solution visant à éviter la grève

FORTE (n)	point fort
– singing is not my forte	– le chant n'est pas mon fort
FORTUNATE (adj)	heureux, chanceux; propice
– we were fortunate to escape	– nous avons eu la chance d'y échapper
	(F) fortuné = (E) wealthy
FORTUNE (n)	hasard; chance, fortune
– to try one's fortune	– tenter sa chance
– fortuneteller	– diseur (diseuse) de bonne aventure
FOUL (adj)	crasseux, infect, immonde, nauséabond
– a foul blow	– un coup en traître
– foul weather	– temps de chien
– to fall foul of the law	– avoir des démêlés avec la justice
FOUR :	
– on all fours	– à quatre pattes
– it's in four figures	– c'est dans les milliers
– the Big Four	– (GB) les quatre principales banques britanniques
– the Four Hundred	– (US) l'élite sociale
FRACAS (n)	rixe, bagarre; fracas
FRACTIONALLY (adv)	un petit peu
FRACTIOUS (adj)	grincheux, pleurnicheur
FRAGRANT (adj)	parfumé, odorant
– fragrant memories	– de doux souvenirs
FRANCHISE (n)	droit de vote; (US) permis, autorisation, concession; franchise commerciale
	(F) franchise = (E) (qualité) frankness; (postes) exemption; (assurances) excess, deductible
FRAUD (n)	fumiste; imposteur; imposture; fraude
– the whole thing is a fraud	– c'est de la frime !
FREQUENTER (n)	familier, habitué
– a great frequenter of pubs	– un pilier de comptoir

FRESH (adj)	frais; neuf; fringant; inexpérimenté; (US) effronté
– fresh water	– eau douce
– fresh butter	– beurre non salé
– to break fresh ground	– faire oeuvre de pionnier
– he's very fresh	– il est culotté
FRESHMAN (n)	étudiant de première année, "bleu"
FRESHNESS (n)	fraîcheur; franchise; spontanéité; nouveauté; inexpérience; (US) effronterie
FRET (v)	s'agiter; ronger son frein; se tracasser, se faire du mauvais sang
– she frets over trifles	– elle s'en fait pour des bêtises
– don't fret!	– ne vous faites pas de bile!
FRINGE (n)	frange; bord, bordure, lisière
– to live on the fringe of society	– vivre en marge de la société
– the outer fringes	– la grande banlieue
– fringe benefits	– avantages en nature, avantages sociaux, indemnités versées en plus du salaire convenu; avantages extra-légaux
FRITTER away (v)	réduire à rien; gaspiller
FRONT (n)	devant, partie antérieure; front
– front bench	– les ministres
– frontman	– présentateur TV
– front money	– acompte
– it's all just a front with him	– tout ça n'est que façade chez lui
FRONTAGE (n)	devanture; façade
– frontage road	– (US) contre-allée
– the shop has frontages on two busy streets	– le magasin a des entrées dans deux rues animées
FRUITION (n)	jouissance (d'un bien); réalisation (d'un projet)
– his plans have come to fruition	– ses plans se sont réalisés
FRUSTRATE (v)	frustrer; déjouer, faire échouer
FRUSTRATION (n)	frustration; échec; déception

FUME (n) — vapeur; émanation; fumée
- petrol fumes — vapeurs d'essence

FUME (v) — exhaler, fumer; être furibond
- he's fuming — il est furax

FURNISH (v) — meubler, garnir
- furnished flat — appartement meublé
- to furnish an army with provisions — ravitailler une armée

(F) fournir = (E) to supply, to provide

FURNITURE (n) — meubles, mobilier, ameublement

(F) fourniture = (E) supply, provision

FURRY (adj) — (animal) à poil; (jouet) en peluche; (langue) pâteuse; (US) effrayant

GADGET (n)	accessoire; dispositif, système; truc, machin; (rare) gadget
– a little gadget for peeling potatoes	– un petit accessoire pour éplucher les pommes de terre
	(F) gadget = (E) gimmick
GAFF (n)	gaffe; foutaises
– to blow the gaff	– vendre la mèche
GAFFER (n)	vieux bonhomme; contremaître; patron; chef-électricien
GAG (n)	gag; bâillon; ouvre-bouche;
– to put a gag	– bâillonner
GAG (v)	museler; blaguer; avoir des haut-le-coeur
GAGE (n)	défi; gage, garantie; (US) jauge, calibre (= GB GAUGE)
GAIETIES (n pl)	réjouissances, fêtes
GAL (n)	– abréviation de : **GALLON** – abréviation familière et humoristique de : **GIRL**
GALE (n)	grand vent, tempête

– to blow a gale	– souffler en tempête
– gales of laughter	– des éclats de rire
	(F) gale = (E) scab, mange
GALL (n)	bile, fiel, amertume; effronterie
– she had the gall to say so	– elle a eu le culot de le dire
GALLANT (adj)	brave, vaillant; magnifique, superbe; galant
– gallant deed	– action d'éclat
GALLANTRY (n)	courage, bravoure, vaillance; galanterie
GALLON (n)	unité de mesure pour liquides (GB: 4,545 litres – US: 3,785 litres)
	(F) galon = (E) braid, stripe
GAME (adj)	courageux, résolu; d'attaque
– he is game for anything	– il est prêt à tout
– to have a game leg	– être estropié, boiter
GAME (n)	jeu, amusement, divertissement; gibier; (familier) travail, boulot
– it's a profitable game	– c'est une entreprise rentable
– what's the game ?	– qu'est-ce qui se manigance ?
– game birds	– gibier à plumes
– to be on the game	– (familier) faire le trottoir
	(F) gamme = (E) (musique) scale; (sens figuré) range
GAMINE (n)	gamine espiègle; garçon manqué
– she has a gamine haircut	– elle a les cheveux coupés à la garçonne
	(F) gamine = (E) kid
GANG (n)	équipe (d'ouvriers); gang
– he is one of the gang now	– il est des nôtres à présent
– gang bang	– viol collectif; copulation en chaîne
– gangway!	– dégagez!
GANGLION (n)	ganglion; (sens figuré) centre, foyer d'activité
GAP (n)	trou, vide; interstice; intervalle; (US) col de montagne
– to close the gap between two points of view	– rapprocher deux points de vue

GAPE (n)	bâillement; trou béant; regard ébahi
GAPE (v)	bâiller; ouvrir la bouche toute grande; être béant; regarder qn bouche bée
GARMENT (n)	vêtement
GAS (n)	gaz; bla-bla-bla; anesthésique; (US) essence
– to do sth for a gas	– faire qch pour se marrer
– I had gas	– (médecine) j'ai eu une anesthésie avec masque
GAS (v)	gazer; faire du vent, pérorer
– to gas up	– (US) faire le plein (de carburant)
GATE (n)	porte principale; barrière, grille; recette (d'un spectacle)
– to give sb the gate	– (US) virer (employé), plaquer (petit ami)
GATE (v)	consigner, coller (un étudiant) (F) gâter = (E) to spoil, to ruin
GAUNT (adj)	maigre, décharné; lugubre; isolé
– gaunt landscape	– paysage désolé
GAY (adj)	gai, joyeux; homosexuel
GAY (n)	homosexuel
– Gay Liberation	– mouvement en faveur de l'émancipation des homosexuels
GAYNESS (n)	homosexualité
GAZE (n)	regard fixe
GAZE (v)	regarder fixement (F) gaze = (E) gauze
GAZETTE (n)	journal officiel; (Belgique) le Moniteur; gazette
GAZETTE (v)	publier à l'Officiel, au Moniteur
– to be gazetted	– avoir sa nomination publiée à l'Officiel, au Moniteur
GAZETTEER (n)	index géographique

GEL (*also* **JELL**) (v)	se gélifier; (idée, plan) prendre tournure, réussir, marcher
GEN (n)	renseignements, coordonnées
– I want all the gen on him	– je veux tout savoir à son sujet
GEN up (v)	renseigner
– to gen sb up on sth	– (familier) mettre qn au parfum de qch
GENDER (n)	genre (grammatical)
– the gender gap	– les préjugés contre les femmes
	(F) gendre = (E) son-in-law
GENIAL (adj)	génial; sympathique; cordial; bienveillant; plein de bonne humeur; chaleureux
– genial sunshine	– soleil clément
GENIALITY (n)	cordialité, chaleur, douceur, bienveillance; (température) clémence
GENT (n)	abréviation de **GENTLEMAN**
– gents' wear	– confection hommes
– the gents	– les toilettes pour hommes
– he's a real gent	– c'est un type tout ce qu'il y a de bien
GENTEEL (adj)	(ironique) distingué, comme il faut, de bon ton
– she's ever so genteel	– elle est de la haute
– to live in genteel poverty	– mener un train de vie au-dessus de ses moyens
– he has a genteel way of holding his glass	– il a une façon qu'il croit distinguée de tenir son verre
	(F) gentil = (E) kind, nice
GENTILITY (n)	(ironique) prétention à la distinction, bon ton; (archaïque) petite noblesse
GENTLE (adj)	doux, aimable, gentil; (vieilli) bien né
– gentle as a lamb	– doux comme un agneau
– the gentle sex	– le sexe faible
GLOBAL (adj)	mondial, universel; entier; global; globulaire
– global peace	– paix mondiale
GLORIOUS (adj)	glorieux; radieux, superbe, éclatant

– what a glorious day!	– quelle journée superbe!
– a glorious mess	– (humoristique) un joli gâchis
GLUE (n)	colle; glu
– glue sniffing	– intoxication à la colle ou aux solvants
GOBLET (n)	verre à pied, coupe
	(F) gobelet = (E) tumbler, cup
GORGE (n)	gorge (défilé); gorge (de poulie); gosier
– it made my gorge rise	– cela m'a soulevé le coeur
	(F) gorge = (E) throat
GORGE oneself (v)	se rassassier, s'empiffrer
GORGEOUS (adj)	magnifique, splendide, superbe
– we had a gorgeous time	– on s'est amusés comme des fous
GOUT (n)	(médecine) goutte
	(F) une goutte = (E) a drop
GOVERNOR (n)	gouverneur; (familier) directeur, chef, patron
– Thanks governor	– merci patron
GRACE (v)	honorer; embellir; orner
– the performance was graced by the presence of the Queen	– la Reine rehaussa la représentation de sa présence
	(F) gracier = (E) to pardon
GRACELESS (adj)	gauche; effronté; espiègle; inélégant
GRADE (n)	catégorie; échelon; niveau; qualité; grade; note scolaire (US) classe; (US) rampe, pente
– grade A	– de toute première qualité
– to make the grades	– parvenir au sommet, réussir
– grade school	– (US) école primaire
– grade crossing	– (US) passage à niveau
– at grade	– (US) au niveau du sol
GRADE (v)	classer, trier; graduer; noter (un travail scolaire); (US) niveler
GRADUATE (n)	diplômé (surtout universitaire), licencié

GRADUATE (v)	graduer; délivrer un diplôme (surtout universitaire); obtenir une licence
– to graduate payments	– payer par fractionnements progressifs ou dégressifs
GRADUATION (n)	graduation; remise ou obtention d'un diplôme (surtout universitaire); (US) cérémonie de remise des diplômes
GRAND (adj)	noble, grandiose, magnifique; grand
– grand total	– total général
– we had a grand time !	– ce qu'on s'est amusés !
– grand staircase	– escalier d'honneur
– grand piano	– piano à queue
– grand mal	– épilepsie
– he is a grand fellow	– c'est un type épatant
– grand larceny	– (US) vol qualifié
GRAND (n)	(US) mille dollars; piano à queue
GRANDCHILD (n)	petit-fils ou petite-fille
GRANDEE (n)	grand d'Espagne; (sens figuré) grand manitou
GRANDEUR (n)	noblesse, éminence, splendeur; (sens figuré) grandeur
– the grandeur of the landscape	– la majesté du paysage
GRANDFATHER (n)	grand-père; aïeul
– a grandfather clause	– une clause d'antériorité
GRANDSIRE (n)	(littéraire) grand-père; aïeul
GRANGE (n)	manoir avec ferme; château; (US) ferme
– the Grange	– (US) la Fédération agricole
	(F) grange = (E) barn
GRANGER (n)	(US) fermier
GRANT (n)	concession; cession; bourse, subvention, allocation
grant-aided schools	– établissements subventionnés
– grant of a patent	– délivrance d'un brevet
– home improvement grant	– aide à la rénovation

GRANT (v)	accorder, concéder,octroyer; exaucer
– to take sth for granted	– considérer qch comme allant de soi
– they were granted an extension of time	– on leur a accordé un délai
– granted that you are right	– admettons que vous ayez raison
GRAPE (n)	raisin
– to harvest the grapes	– vendanger
	(F) grappe = (E) cluster
GRAPEFRUIT (n)	pamplemousse
GRAPEVINE (n)	vigne; (sens figuré) téléphone arabe
– I hear on the grapevine ...	– mon petit doigt m'a dit que ...
GRAPHIC (adj)	graphique; pittoresque
GRASS (n)	herbe; gazon, pelouse; herbage
– a grass widow	– une femme dont le mari est absent
– the grass is greener on the other side of the fence	– on jalouse toujours le sort du voisin
GRATE (n)	grille de foyer; foyer, âtre
GRATE (v)	griller; râper; faire grincer; agacer
– grated cheese	– fromage râpé
– the door grates	– la porte grince
– this music is grating on my nerves	– cette musique me tape sur les nerfs
	(F) gratter = (E) to scratch
GRATER (n)	râpe
– cheesegrater	– râpe à fromage
GRATIFICATION (n)	satisfaction, contentement; assouvissement
– to do sth for one's gratification	– faire qch pour son propre plaisir
	(F) gratification = (E) bonus
GRATIFY (v)	faire plaisir à; contenter; assouvir
– gratified	– content, satisfait
GRATING (n)	grille, grillage, treillis; râpage; grincement, crissement

GRATUITY (n) pourboire; prime, pécule; prime de démobilisation
- our staff are not permitted to accept gratuities – notre personnel n'a pas le droit d'accepter un pourboire

(F) la gratuité des soins médicaux = (E) free medical care

GRAVE (n) tombe, tombeau; fosse
- the graveyard shift – (US, humoristique) l'équipe de nuit

GRAVEL (n) gravier, sable; (médecine) lithiase urinaire, gravelle

GRAVY (n) jus de viande; sauce au jus; (US) argent mal acquis, profit facile
- gravy-boat – récipient à jus
- to get on the gravy-train – trouver une planque

GRAZE (n) écorchure; éraflure

GRAZE (v) écorcher, érafler; effleurer; (faire) paître, brouter
- to graze the bottom – (marine) labourer le fond

GREGARIOUS (adj) grégaire; sociable

GRIEF (n) chagrin, douleur, peine, affliction; cause de douleur, malheur
- we came to grief – il nous est arrivé malheur

(F) grief = (E) grievance

GRIEVANCE (n) grief, doléance, sujet de plainte; injustice, tort; différend, conflit
- he was filled with a sense of grievance – il avait le sentiment d'être victime d'une injustice

GRIEVE (v) affliger, faire de la peine à; se désoler, avoir de la peine
- to grieve for sb – pleurer qn
- deeply grieved – navré

GRIM (adj) sinistre, lugubre, menaçant
- a grim joke – une plaisanterie macabre
- the grim truth – la vérité brutale

GRIME (n) poussière de charbon, de suie; crasse, saleté

GRIME (v)

noircir, encrasser, salir
(F) grimer = (E) to make up

GRIP (n)
– gripsack
– in the grip of a disease
– he has a good grip of the situation

poigne, prise, serrage, étreinte; poignée
– (US) sac de voyage
– en proie à une maladie
– il a la situation bien en main

(F) grippe = (E) (in)flu(enza)

GRIP (v)
– a film that really grips you

saisir, empoigner, agripper
– un film vraiment palpitant

GRIPES (n pl)
– gripe water

coliques
– calmant (pour coliques infantiles)

GROIN (n)

(anatomie) aine; (architecture) arête
(F) groin = (E) snout

GROSS (adj)

– gross domestic product
– gross eater
– gross ignorance

grossier; mal dégrossi; brut; (US) dégueulasse; (US) obèse
– produit intérieur brut
– goulu(e), glouton(ne)
– ignorance crasse
(F) gros = (E) big, fat

GROSS out (v)

(US) dégoûter, écoeurer

GROUPER (n)

mérou

GRUDGE (n)
– to bear a grudge on sb

rancune
– en vouloir à qn

GRUDGE (v)

donner à regret, accorder à contrecoeur, rechigner à faire
(F) gruger = (E) to dupe

GUARDIAN (n)

gardien, gardienne; protecteur, protectrice; tuteur, tutrice

GUIDANCE (n)
– I owe much to his guidance
– for your guidance

orientation; conseils; guidage
– ses conseils m'ont été utiles
– à titre indicatif

– vocational guidance	– orientation professionnelle
– guidance system	– (technique) système de guidage
GULLET (n)	oesophage, gosier
– it stuck in my gullet	– je ne l'ai pas avalé
GUTTER (n)	gouttière; caniveau, rigole
– he rose from the gutter	– il est parti de rien
– the gutter press	– la presse de bas étage, les journaux à sensation
– language of the gutter	– langage de corps de garde

HABIT (n)	habitude, coutume; habit, tenue
– to fall into bad habits	– contracter de mauvaises habitudes
– habit of body	– tempérament
– habit of mind	– tournure d'esprit
– riding habit	– tenue d'équitation
HABITUAL (adj)	habituel, d'habitude, accoutumé; invétéré
– habitual drunkard	– ivrogne invétéré
– habitual offender	– récidiviste
HAGGARD (adj)	décharné; défait, abattu; blême; hagard
HALCYON days	jours de bonheur paisible
HALCYON weather	temps serein, magnifique, enchanteur
HALE (n)	vieille personne toujours robuste, toujours vigoureuse
– to be hale and hearty	– avoir bon pied bon oeil, se porter comme un charme
	(F) hâle = (E) tan, sunburn
HALO (n)	(religion) auréole; (astronomie) halo
HALT (v)	s'arrêter; hésiter; (archaïque) boiter
– halting speech	– d'une voix entrecoupée
– to halt between two opinions	– balancer entre deux avis
HALTER (n)	licou; corde (pour pendre)

– a dress with a halter top — une robe dos nu
(F) haltère = (E) dumbbell, barbell

HARASS (v) — harceler, tourmenter, tracasser
(F) harasser = (E) to exhaust

HARASSMENT (n) — harcèlement; tracasseries
– sexual harassment — harcèlement sexuel, avances sexuelles importunes
(F) harassement = (E) exhaustion

HARDLY (adv) — à peine, tout juste; (rare) durement, sévèrement
– he can hardly write — il sait à peine écrire
– to treat sb hardly — traiter qn sévèrement
(F) travailler dur = (E) to work hard

HARDY (adj) — robuste, résistant, vigoureux; (vieilli ou figuré) qui a la vie dure; (rare) hardi, audacieux, intrépide
– a hardy perennial — une plante vivace

HARP (v) — jouer de la harpe; ressasser, rabâcher
– stop harping about it! — cesse de répéter toujours la même chose!

HAUL (n) — effort pour amener qch; prise; butin; parcours; trajet
– a good haul — un fameux coup de filet
– it's a long haul — la route est longue

HAUL (v) — tirer, traîner; remorquer; réprimander
– to haul ass — (US) mettre les bouts

HAULAGE (n) — transport; remorquage; frais de transport
– a haulage contractor (= a haulier) — un entrepreneur de transports
– a haulage company — une entreprise de transports routiers

HAULIER (n) — transporteur, camionneur

HAZARD (n) — risque, péril; hasard; chance
– professional hazards — risques du métier
– hazard lights — feux de détresse
– hazard pay — prime de risque

HAZE (n) — brume, vapeur
(F) hase = (E) doe

HEARSE (n)	corbillard (F) herse = (E) (agriculture) harrow; (château) portcullis
HECTIC (adj)	très agité, trépidant; hectique
HECTOR (v)	intimider, rudoyer, malmener
HEINOUS (adj)	odieux, atroce, abominable (F) haineux = (E) full of hatred
HISS (n)	sifflement; (théâtre) sifflets de désapprobation
HISS (v) – to hiss an actor	(serpent, vapeur) siffler; chuinter – siffler un acteur (F) hisser = (E) to hoist, to haul up
HOARD (n) – miser's hoard	amas, accumulation; trésor caché; réserves, provisions – magot de l'avare
HOLDING (n)	tenue; possession, jouissance; avoirs fonciers; participations; propriété; ferme; holding
HOLDUP (n) – we were delayed by a holdup	hold-up, attaque à main armée; (GB) retard; embouteillage, bouchon – nous avons été retardés par un embouteillage
HOSE (n)	tuyau; durite
HOSE (v)	laver à grandes eaux; arroser au jet
HOST (n) – host country	hôte; foule, grand nombre; (religion) hostie; (archaïque) armée – pays d'accueil
HOSTEL (n) – youth hostel	pension; foyer – auberge de jeunesse
HUM (v) – humming – to make things hum	bourdonner, vrombir; fredonner; puer, empester – bourdonnement, vrombissement – faire marcher rondement les choses (F) humer = (E) to smell; to inhale

HURL (v) — lancer avec violence, projeter
- to hurl abuse at sb — accabler qn d'injures

(F) hurler = (E) to roar, to yell

HURT (n) — tort, dommage; blessure; mal

HURT (v) — (se) faire mal, (se) blesser
- wine never hurts anyone — un peu de vin n'a jamais fait de mal à personne

(F) heurter = (E) to strike

HYDRANT (n) — prise d'eau
- fire-hydrant — bouche d'incendie

IGNORE (v)	ne pas tenir compte de; passer sous silence; ne pas vouloir reconnaître; ne pas répondre à
– to ignore the facts	– méconnaître les faits
– to ignore a prohibition	– passer outre à une interdiction
– to ignore a bill	– prononcer un verdict d'acquittement
	(F) je l'ignore = (E) I don't know
IMBIBE (v)	absorber, avaler, assimiler rapidement (des connaissances); (humoristique) picoler
	(F) imbiber = (E) to soak
IMMATERIAL (adj)	négligeable; peu important; (philosophie) immatériel
– this is quite immaterial to me	– cela m'est tout à fait indifférent
IMPAIR (v)	affaiblir, altérer, abîmer, détériorer
– impaired sight	– vue affaiblie
IMPART (v)	communiquer, faire part de, transmettre
IMPASSABLE (adj)	infranchissable, impraticable
IMPEACH (v)	mettre en accusation en vue de la destitution; mettre en doute; attaquer
– to impeach a witness	– (justice) récuser un témoin
	(F) empêcher = (E) to prevent
IMPEACHMENT (n)	mise en accusation en vue de la destitution; accusation; dénigrement
	(F) empêchement = (E) hitch, unexpected obstacle

IMPERATIVE (adj)	pressant, impérieux; péremptoire; impératif
– discretion is imperative	– la discrétion est de rigueur
IMPERIAL (adj)	impérial; auguste, majestueux; qui se rapporte aux poids et mesures ayant cours légal au Royaume-Uni
IMPERIOUS (adj)	impérieux, urgent; hautain, autoritaire, arrogant
IMPERMANENT (adj)	éphémère, fugitif, transitoire
IMPERSONATOR (n)	(théâtre) imitateur, (-trice); usurpateur (-trice) d'identité
IMPERTINENCE (n)	impertinence; (droit) absence de rapport avec une question
IMPERTINENT (adj)	impertinent; (droit) hors de propos, sans rapport avec une question
IMPLEMENT (v)	exécuter, mettre en oeuvre, mettre en pratique; rendre effectif, donner suite à
IMPORTUNATE (adj)	importun; urgent
– importunate demands	– revendications urgentes
IMPOSITION (n)	imposition (taxe); tromperie, imposture; devoir supplémentaire, punition
IMPOTENCE (n)	impuissance; faiblesse; (médecine) impotence
IMPOTENT (adj)	impuissant; faible; impotent
IMPREGNABLE (adj)	(militaire) imprenable; (sens figuré) inattaquable; (argument) irréfutable
IMPREGNATE (v)	imprégner; féconder; imbiber
IMPREGNATION (n)	imprégnation; fécondation
IMPROPER (adj)	impropre; déplacé; contraire aux bonnes règles; incorrect; abusif
INADEQUATE (adj)	inadéquat; insuffisant; médiocre

– he was totally inadequate	– il n'était absolument pas à la hauteur
INADMISSIBLE (adj)	irrecevable; inacceptable; inadmissible
– inadmissible evidence	– témoignage irrecevable
INCENDIARISM (n)	action ou comportement incendiaire
INCENDIARY (n)	bombe incendiaire; (sens figuré) brandon de discorde
INCENSE (v)	exaspérer, mettre en fureur
– he was quite incensed	– il était dans une violente colère
	(F) encenser = (E) to praise to the skies
INCENTIVE (n)	motivation, prime; (familier) carotte
– what incentive is there to work more ?	– quel avantage y a-t-il à encore travailler ?
– tax incentives	– allégements fiscaux
INCIDENT (n)	incident; épisode; événement
– a life full of incidents	– une vie mouvementée
INCINERATOR (n)	incinérateur; four crématoire
INCLINATION (n)	inclinaison; inclination
– inclination to stoutness	– tendance à l'embonpoint
INCONSISTENT (adj)	incompatible; contradictoire; illogique, incohérent; inconsistant
– his actions are inconsistent with his principles	– ses actions sont en contradiction avec ses principes
INCONTROVERTIBLE (adj)	indéniable; irréfutable; irrécusable
INCONVENIENCE (n)	inconvénient; incommodité; ennui; dérangement, gêne; contretemps
– I don't want to put you to any inconvenience	– je ne veux surtout pas vous déranger
INCONVENIENT (adj)	gênant, inopportun; importun; mal commode; mal choisi
– if it is not inconvenient for you	– si cela ne vous dérange pas
– inconvenient equipment	– équipement peu pratique

INCORPORATED company	(US) société anonyme; société à responsabilité limitée
INDEBTED (adj)	redevable; endetté
– he was indebted to his brother for a large sum	– il devait une grosse somme à son frère
INDEFATIGABLE (adj)	infatigable, inlassable
INDICATE (v)	indiquer, montrer; dénoter, révéler; signaler
– he indicated that he was willing to go	– il a fait comprendre qu'il était disposé à y aller
INDICT (v)	accuser
INDICTABLE (adj)	qui tombe sous le coup de la loi
– indictable offence	– délit pénal
INDIFFERENCE (n)	indifférence; (qualité, talent) médiocrité
INDIFFERENT (adj)	indifférent; médiocre, passable; impartial, neutre
– very indifferent quality	– qualité très médiocre
INDIFFERENTLY (adv)	indifféremment; avec indifférence; passablement, médiocrement, de façon quelconque
INDIGNANT (adj)	indigné
– to make sb indignant	– indigner qn
INDIGNITY (n)	indignité; affront, offense, outrage
– it was a gross indignity	– ce fut un grave outrage
INDISCREET (adj)	indiscret; imprudent; inconsidéré
INDISCRETION (n)	indiscrétion; action inconsidérée, imprudence; écart de conduite; faux pas
– youthful indiscretions	– péchés de jeunesse
INDISPOSED (adj)	indisposé, souffrant; peu disposé à
– indisposed to help	– peu enclin à aider
INDISPOSITION (n)	indisposition; manque de goût pour; peu d'inclination à; aversion envers

INDIVIDUAL (adj)	individuel; original, particulier; pris un à un, séparément
– he took the problems to the individual partners	– il exposa les problèmes à chacun des associés en particulier
INDULGE (v)	avoir trop d'indulgence, gâter; se laisser aller à, donner libre cours à; (finance) accorder des délais de paiement
– to indulge oneself	– ne rien se refuser
– to indulge in sin	– s'adonner au péché
INDULGENCE (n)	complaisance; fait de s'adonner à
– his little indulgences	– les petites faiblesses qu'il s'autorise
– over-indulgence in	– surconsommation, abus de
INDUSTRIAL (adj)	industriel; qui a rapport au monde du travail
– industrial disputes	– conflits sociaux
– industrial unrest	– agitation ouvrière
– industrial injury benefit	– indemnité pour accidents du travail
INDUSTRIOUS (adj)	industrieux; assidu; travailleur; laborieux
INDUSTRY (n)	industrie; assiduité, application, zèle
INEPTITUDE (n)	manque d'à-propos; sottise, absurdité, ineptie
INFANCY (n)	première enfance, bas âge: minorité légale
– this process is still in its infancy	– ce procédé n'en est encore qu'à ses débuts
INFANT (n)	enfant en bas âge; mineur
– infant education	– enseignement pour enfants de cinq à sept ans
INFATUATED with (adj)	épris, entiché de
– to become infatuated with sb	– se toquer de qn
	(F) infatué = (E) conceited
INFATUATION (n)	engouement, toquade, béguin
	(F) infatuation = (E) self-conceit, self-importance
INFECT (v)	infecter; contaminer; corrompre; souiller
INFECTIOUS (adj)	contagieux; (médecine) infectieux
– infectious laughter	– rire communicatif

INFERENCE (n)	déduction, conclusion; inférence
– the inference is that he is unwilling to help us	– il faut en conclure qu'il n'est pas disposé à nous aider
INFIRM (adj)	infirme; débile; irrésolu, indécis
– infirm of purpose	– qui manque de volonté
INFLAMMABLE (adj)	inflammable; prompt à s'échauffer, vite énervé
INFLATE (v)	gonfler; faire monter; (médecine) dilater
– inflated with pride	– bouffi d'orgueil
– pull this cord to inflate the life jacket	– tirez sur cette corde pour gonfler le gilet de sauvetage
INFLUENZA (n), *also* **FLU**	grippe
INFLUX (n)	flux, afflux, entrée, arrivée; apport
	(F) influx = (E) impulse, drive
INFORMATION	renseignements, information(s), connaissance(s), savoir
– to lay an information against sb	– porter une accusation contre qn
INFORMER (n)	mouchard, indicateur, dénonciateur
– to turn informer	– vendre ses complices
INGENUITY (n)	ingéniosité
	(F) ingénuité = (E) ingenuousness, naïvety
INGENUOUS (adj)	franc, sincère, ouvert; naïf, candide, ingénu
INGRAINED (adj)	profondément enraciné; encrassé
– ingrained dirt	– crasse
– ingrained habits	– habitudes invétérées
INHABITABLE (adj)	habitable
	(F) inhabitable = (E) uninhabitable
INHABITED (adj)	habité
INITIAL (v)	parapher, viser
INITIATE (v)	prendre l'initiative de; commencer, amorcer, lancer, faire démarrer; initier

– to initiate proceedings against sb	– intenter une action à qn
INJURE (v)	faire du tort ou du mal; léser; endommager; blesser
– to injure one's health	– se détériorer la santé
– fatally injured	– blessé mortellement
	(F) injurier = (E) to abuse, to insult
INJURIOUS (adj)	nuisible, nocif, préjudiciable
	(F) injurieux = (E) abusive, offensive, insulting
INJURY (n)	tort, préjudice; blessure, lésion; (marine) avarie
– three players had injuries	– trois joueurs ont été blessés
	(F) injure = (E) abuse, insult
INQUISITIVE (adj)	(péjoratif) trop curieux; inquisiteur (-trice)
INQUISITIVENESS (n)	curiosité indiscrète, indiscrétion
INSANITY (n)	démence, aliénation mentale; insanité
INSCRIBE (v)	inscrire, graver (tombe, monument, etc ...); dédicacer
– to inscribe a book	– dédicacer un livre
– a watch inscribed with his name	– une montre gravée à son nom
INSCRIPTION (n)	inscription (sur une pierre); légende (d'une pièce ou d'une médaille); dédicace
INSENSATE (adj)	insensible; inanimé; insensé
– insensate rage	– rage folle
INSTAL(L)MENT (n)	versement partiel; acompte
– monthly instalments	– mensualités
– to appear in instalments	– paraître sous forme de feuilleton, par épisodes
– instalment plan	– (US) contrat de crédit
– at the instalment of	– (droit) à la demande de, sur l'instance de
INSTANCE (n)	exemple; cas; circonstance; occasion
– let's take an actual instance	– prenons un cas concret
	(F) instance = (E) authority

INSTANT (adj)	prompt, immédiat, instantané
– the 9th inst(ant)	– le 9 courant
– instant coffee	– café soluble
INSTANTLY (adv)	tout de suite, à l'instant, sur le champ
INSULATION (n)	isolation, calorifugeage, insonorisation (F) insolation = (E) sunstroke
INSUSCEPTIBLE (adj)	insensible
– a mind insusceptible to flattery	– un esprit insensible à la flatterie
INTANGIBLE assets / **INTANGIBLES** (n pl)	immobilisations incorporelles, valeurs immatérielles
INTEGER (n)	nombre entier (F) intègre = (E) upright, honest
INTELLIGENCE (n)	intelligence; renseignements, informations
– latest intelligence	– informations de dernière minute
– he was in Intelligence during the war	– il était dans les services de renseignements pendant la guerre
INTEMPERATE (adj)	immodéré; intempérant; (climat) sévère; (rage) incontrôlé
INTERCOME (n)	interphone
INTERCOURSE (n)	relations, rapports
– sexual intercourse	– rapports sexuels
INTERFERE (v)	s'immiscer, intervenir; (physique) interférer
– don't interfere with my camera!	– ne tripote pas mon appareil!
– it interferes with my plans	– cela dérange mes projets
INTERFERENCE (n)	ingérence; intervention; intrusion; (radio) parasites; (physique) interférence
INTERIM (adj)	provisoire; intérimaire
– interim dividends	– dividendes provisoires
– interim report	– rapport provisoire
in the INTERIM	en attendant

INTERROGATION (n)	interrogatoire; interrogation
INTERVENE (v)	s'interposer; intervenir; survenir entretemps; s'écouler
– the intervening years	– les années qui se sont écoulées depuis lors
– 12 years intervened between the two events	– 12 ans séparent les deux événements
INTIMATION (n)	avis, faire-part, annonce, notification; suggestion; indice; indication
– we had had no previous intimation	– rien ne nous faisait pressentir cela
	(F) intimation = (E) summons
INTOXICANT (adj)	enivrant, grisant
INTOXICANT (n)	boisson alcoolisée
INTOXICATED (adj)	ivre, en état d'ébriété
– intoxicated with success	– grisé par le succès
	(F) intoxiqué = (E) poisoned
INTOXICATING (adj)	alcoolisé, alcoolique
– intoxicating liquors	– boissons alcoolisées
INTOXICATION (n)	ivresse; griserie, enivrement (de plaisir, etc...)
	(F) intoxication = (E) (physique) poisoning; (mentale) brain-washing
INTRODUCE (v)	présenter; introduire
– to introduce a subject	– amener un sujet
– to introduce a bill before Parliament	– déposer un projet de loi
– we haven't been introduced	– on ne nous a pas présentés l'un à l'autre
INTRODUCTION (n)	présentation; introduction
– an introduction to German	– initiation à l'allemand
INVALID (n)	invalide; malade
– chronic invalid	– malade chronique
INVENTORY (n)	inventaire; (US) stock
– inventory control	– (US) gestion des stocks

INVESTIGATE (v) : examiner, faire une enquête, scruter, sonder
- investigating committee : commission d'enquête

INVESTIGATION (n) : examen, enquête; étude; recherche, investigation
- the matter under investigation : la question à l'étude

INVETERATE (adj) : invétéré, enraciné; obstiné, acharné
- inveterate hatred : haine implacable
- inveterate prejudices : des préjugés qui ont la vie dure
- inveterately : foncièrement

INVOICE (n) : facture

INVOICE (v) : facturer

IRRECLAIMABLE (adj) : incorrigible; (ivrogne) invétéré; (terrain) incultivable

IRRECONCILABLE (adj) : irréconciliable; inconciliable, incompatible
- holding a government post was irreconcilable with his commercial activities, so he had to resign : il y avait incompatibilité entre son statut de fonctionnaire et ses activités commerciales et il lui fallut donc démissionner

IRRESOLVABLE (adj) : insoluble (qui ne se dissout pas); indécomposable; irréductible

IRRESPECTIVE of (prép) : sans tenir compte de, indépendamment de

ISLAND : île
- street island : refuge (pour piétons), terre-plein

(F) Islande = (E) Iceland

ISOLATION (n) : isolement, solitude

(F) isolation = (E) insulation

ISSUE (n) : émission, édition, publication; sujet, problème (à régler); progéniture; (médecine) écoulement; délivrance (de billets)
- a new issue of shares : une nouvelle émission d'actions
- issue price : (finance) prix d'émission
- the latest issue : le dernier numéro
- the point at issue : la question en litige
- to die without issue : mourir sans enfants

(F) issue = (E) exit, way out; (sens figuré) outcome

ISSUE (v) : émettre, éditer, publier

JACKET (n)	veste; veston; pelure, épluchure; chemise (pour documents)
– potatoes baked in their jackets	– pommes de terre en chemise
– bed/dust-jacket	– liseuse
	(F) jaquette (pour homme) = (E) morning coat
JAMB (n)	montant, chambranle; jambage
JAPAN (n)	laque de Chine; (avec majuscule) Japon
JAPAN (v)	laquer, vernir
– japanned leather	– cuir verni
JAPE (n)	farce, tour, blague
JAR (n)	pot, jarre, bocal; son discordant; choc, secousse
– a jar of jam	– un pot de confiture
– his fall gave him a nasty jar	– sa chute l'a fortement ébranlé
JAVA (n)	(US) café; (avec majuscule) Java
	(F) java = (E) popular waltz
	(F) faire la java = (E) to have a rave-up, to live it up
JAZZ (n)	jazz; entrain, allant; baratin
– he gave us a lot of jazz	– il nous a fait tout un baratin
JERK (n)	saccade, secousse; (danse) jerk; crispation nerveuse; pauvre type

– a soda jerk	– un marchand de glaces et de soda
– he's just a jerk!	– (US) c'est un type complètement nul!
JERK (v)	tirer brusquement; secouer, cahoter; se contracter; danser le jerk
– the car jerked along	– la voiture roulait en cahotant
JERUSALEM artichoke (n)	topinambour
JEST (n)	raillerie, plaisanterie (F) geste = (E) gesture
JET (n)	(aviation) jet; giclée; jais
– jet lag	– troubles dus au décalage horaire
– jet-black	– noir comme jais
JOB (n)	emploi; travail, tâche; job
– on-the-job training	– formation sur le tas
– he knows his job	– il connaît son affaire
JOIN (v)	joindre, unir; se joindre à; entrer dans, s'affilier à, adhérer à
– to join hands	– se donner la main
– to join the army	– s'engager, s'enrôler dans l'armée
JOINER (n)	menuisier; personne qui s'affilie facilement à des clubs
– he's not really a joiner	– il n'a pas l'instinct grégaire
JOINERY (n)	(GB) menuiserie
JOINT (adj)	(en) commun; combiné; collectif
– joint committee	– commission paritaire
– joint consultations	– consultations bilatérales
– joint estate	– biens en copropriété
– joint-stock company	– société par actions
– joint venture	– entreprise en participation, co-entreprise
JOINT (n)	joint, jointure, articulation; rôti; boîte louche; (drogue) joint
– out of joint shoulder	– épaule déboîtée
JOINTURE (n)	douaire (F) jointure = (E) joint

JOLLY (adj)	gai, joyeux, jovial
(adv)	rudement, fameusement
– I'll take jolly good care	– je ferai rudement attention
	(F) joli = (E) pretty, attractive, good-looking
JOURNEY (n)	voyage; parcours
– journey time	– durée du trajet
JOURNEYMAN (n)	ouvrier qualifié (qui ne travaille pas à son compte)
JUNIOR (adj)	subalterne; cadet; junior
– a junior clerk	– un commis
– a junior executive	– un cadre moyen
JUSTICE (n)	justice; juge, magistrat
– Justice of Peace	– juge de paix
– to do justice to a meal	– faire honneur à un repas

KANGAROO court	tribunal irrégulier
KINGFISH (n)	(US, péjoratif) caïd
KINGFISHER (n)	martin-pêcheur
KIOSK (n)	kiosque; cabine téléphonique
KIWI (n)	kiwi (oiseau); (aviation) personnel rampant; (avec majuscule, familier) Néo-zélandais

LABEL (n)	étiquette; label
LABEL (v)	coller une étiquette, étiqueter; cataloguer, marquer
– labelled luggage	– bagages enregistrés
– he was labelled as a revolutionary	– on l'a classé comme révolutionnaire
LABO(U)R (n)	travail; façon; main-d'oeuvre; accouchement
– hard labour	– travaux forcés
– labour of love	– travail effectué à titre gracieux pour faire plaisir
– skilled labour	– main-d'oeuvre spécialisée
– Labour Exchange	– agence de l'emploi
– labor union	– (US) syndicat
– Labor Day	– (US) Fête du Travail (le premier lundi de septembre)
– Labour Party	– (GB) parti travailliste
– woman in labour	– femme en couches
	(F) labour = (E) (GB) ploughing, (US) plowing
LABO(U)R (v)	travailler à, peiner; avancer péniblement
– to labour under a delusion	– être victime d'une illusion
– I won't labour the point	– je ne m'étendrai pas là-dessus
– laboured breathing	– respiration pénible
	(F) labourer = (E) (GB) to plough, (US) to plow
LABOURER (n)	ouvrier non qualifié; manoeuvre; homme de peine
– agricultural labourer	– ouvrier agricole
	(F) laboureur = (E) (GB) ploughman, (US) plowman

LAC (n)	laque (F) lac = (E) lake
LACE (n)	lacet; dentelle; (passementerie) galon
LACK (n) – for lack of	manque de, absence de – faute de
LACK (v) – he is lacking in courage	manquer de, faire défaut – il manque de courage
LAME (adj) – lame excuse – lame story – lame duck – lamebrained idiot	boiteux, estropié; éclopé – piètre excuse – histoire qui ne tient pas debout – (sens figuré) canard boiteux – crétin
LAME (n)	(US, familier) personne qui n'est pas dans le coup (F) lame = (E) strip; (vague) wave
LAME (v)	estropier
LAMENT (n)	lamentation; (poésie, musique) complainte
LAMENTED (adj) – our late lamented sister	regretté – notre regrettée soeur
LANCE (v)	percer, ouvrir (abcès); inciser (F) lancer = (E) to throw
LANCET (n)	bistouri
LAND (n) – landlady – land yacht – land patent – land-poor farmer	terre ferme; terrain; pays, nation – logeuse; propriétaire; patronne – char à voile – (US) titre de propriété foncière – (US) fermier riche en terre mais pauvre en disponibilités (F) lande = (E) moor
LANGUAGE (n) – language lab training	langue; langage – entraînement en cabines
LAP (n)	genoux; giron

LARD (n)	saindoux (F) lard = (E) bacon
LARDER (n)	garde-manger; cellier
LARGE (adj)	grand; ample, spacieux; vaste (F) large = (E) wide, broad
LASH (v) – to lash sb with one's tongue	fouetter, cingler; lier, attacher – faire des remarques cinglantes à qn
LATE (adj) – The late Mr Smith	tard; en retard; décédé – Feu M. Smith
LEASE (n)	bail
LEASE (v)	louer (à bail)
LECTURE (n) – lecture theatre – to give sb a lecture	conférence; (université) cours – (université) amphithéâtre, auditoire – sermonner, réprimander qn (F) lecture = (E) reading
LEG (n) – to pull sb's leg – to give sb a leg up	jambe; patte; pied (de table) – faire marcher, taquiner qn – (sens figuré) donner un coup de pouce à qn (F) legs = (E) legacy, bequest
LEGAL (adj) – to take legal advice – legal holiday – legal entity – to be legal tender	légal; juridique; judiciaire – consulter un avocat – (US) jour férié – personne morale – avoir cours
LEGERDEMAIN (n)	tours de passe-passe; prestidigitation
LEMON (n) – his car wouldn't go, it was a real lemon – lemon sole	citron; citronnier; (péjoratif) vacherie, mocheté – sa voiture était une vraie saloperie, elle ne voulait pas démarrer – sole limande
LEST (conj)	de peur que

– I was afraid lest she (should) be offended
– j'avais peur qu'elle ne soit vexée

LEVANT (v)
partir sans payer ses dettes de jeu

LEVEE (n)
digue; quai; levée; (histoire) lever (du Roi)
– presidential levee
– (US) réception présidentielle

LEVER (n)
levier
– they used the threat of strike action as a lever to get employers to agree to their demands
– ils ont brandi la menace d'une action de grève comme moyen de pression pour forcer les patrons à accepter leurs exigences

LEVER (v)
soulever au moyen d'un levier
– they are trying to lever him out of his job as head of the firm
– ils essaient de le déboulonner de son poste de directeur de la société

LIABLE (adj)
responsable de; sujet à
– liable to a fine
– passible d'une amende
– plan liable to changes
– projet susceptible de modifications

LIBEL (n)
calomnie, diffamation
– the politician is suing the magazine for libel
– le politicien engage des poursuites pour diffamation contre le périodique

LIBEL (v)
calomnier, diffamer
– he claims he has been libelled in the press
– il affirme qu'il a été diffamé dans la presse
(F) libeller = (E) to word

LIBERAL studies
(école) programme de culture générale

LIBRARIAN (n)
bibliothécaire
(F) libraire = (E) bookseller

LIBRARY (n)
bibliothèque
(F) librairie = (E) bookshop

LICE (n pl)
→ *pluriel de* : **LOUSE** = un pou

LICENCE , (US) LICENSE (n)
permis, autorisation; patente

– licence plate
– plaque minéralogique
(F) licence = (E) permit; (diplôme) degree

LICENSED (adj)
autorisé à
– licensed house
– établissement autorisé à débiter des boissons alcoolisées

LICENSEE (n)
détenteur d'une patente autorisant la vente d'alcool ou de tabac; patron de pub
(F) licencié = (E) graduate

LIE (n)
mensonge; tracé, configuration; position
– this is just a pack of lies
– tout cela n'est qu'un paquet de mensonges
(F) lie = (E) dregs, sediment

LIE (v)
mentir; être étendu, s'allonger; se trouver
– don't leave that money lying about
– ne laissez pas traîner cet argent

LIEGE (n)
suzerain, seigneur
– liegeman
– homme lige, vassal
(F) liège = (E) cork

LIEN (n)
droit de rétention; privilège
(F) lien = (E) bond, link, tie

LILY (n)
lis
– lily of the valley
– muguet
– lily pad
– feuille de nénuphar
(F) lilas = (E) lilac

LIMB (n)
(anatomie & sens figuré) membre; (arbre) grosse branche
– limb of Satan
– suppôt de Satan
– to be out of a limb
– (sens figuré) être isolé; être dans une situation délicate

LIME (n)
chaux; glu; (botanique) lime, limette
– lime kiln
– four à chaux
– lime juice
– jus de citron vert
– lime-tree
– tilleul
(F) lime (outil) = (E) file

LIME (v)	chauler; engluer (F) limer = (E) to file
LIMITED bus (n)	(US) autobus semi-direct
LIMITED company (n)	(GB) société anonyme; S.A.R.L.; S.P.R.L.
LINE (n)	ligne; vers; trait; file, rangée; corde, tuyau (information)
– line of argument	– raisonnement
– you are on the right lines	– vous êtes sur la bonne voie
– it is all in the line of duty	– cela fait partie du boulot
LING (n)	bruyère commune; morue longue, lingue
LINGER (v)	s'attarder; languir, traîner, lambiner
– lingering look	– regard prolongé
– lingering doubt	– doute qui subsiste
– to linger on a subject	– s'attarder sur un sujet
LIQUID (adj)	liquide; limpide
– liquid assets	– liquidités, disponibilités
– liquid eyes	– yeux limpides
LIQUOR (n)	alcool; spiritueux
– to be in liquor	– être pris de boisson
– liquor store	– (US) marchand de vins et de spiritueux (F) liqueur = (E) liqueur
LIQUORICE (n)	réglisse
LIST (n)	liste; lisière; (au pluriel) lice
– to enter the lists	– descendre dans l'arène
LITHOGRAPH (n)	lithographie
LITTER (n)	ordures, immondices; fouillis, désordre; litière; (animaux) portée, mise-bas
– a litter of children	– une ribambelle de gosses
– a litter of caravans along the beach	– des caravanes dispersées le long de la plage
LIVER (n)	foie
– liver complaint	– maladie du foie

LIVID (adj) — furieux; (couleur) gris-bleu; livide, blafard
- she'll be livid if she finds out — elle sera furieuse si elle le découvre

LIVING (n) — vie; les vivants; (GB, religion) cure; bénéfice
- to make a living — gagner de quoi vivre
- living wage — salaire minimum vital
- loose living — vie de débauche

(F) living = (E) living-room

LOBBY (n) — hall, vestibule, (théâtre) foyer; groupe de pression, lobby

LOCAL (n) — habitant de l'endroit; journal local; bistrot local; (US) train omnibus; (US) branche du syndicat
- having a pint at the local — prendre un verre au bistrot du coin
- I asked one of the locals which way to go — j'ai demandé le chemin à une personne de l'endroit

(F) local = (E) premises

LOCALE (n) — lieu, scène, théâtre

LOCALITY (n) — endroit; région, environs; localisation
- in this locality — dans ces parages
- sense of locality — sens de l'orientation

(F) localité = (E) town, village

LOCATION (n) — établissement à un endroit; site, emplacement; (cinéma) extérieurs; repérage, localisation
- on location — sur les lieux

(F) location = (E) hire; renting (par le locataire), letting (par le propriétaire)

LOCK (n) — serrure; verrou; mèche, boucle de cheveux; écluse; (lutte) prise, clef
- steering lock — angle de braquage
- lock, stock and barrel — tout sans exception

(F) loque = (E) rag

LOCKET (n) — médaillon (porté en parure)

(F) loquet = (E) latch

LOCO (n) — (US, argot) toqué, cinglé

LODGE (n)	maisonnette; pavillon de gardien; loge; gîte
– hunting lodge	– pavillon de chasse
– lodge-keeper	– concierge
LODGE (v)	loger, héberger; mettre en sécurité
– to lodge one's valuables in the bank	– déposer ses objets de valeur à la banque
– to lodge a complaint with the authorities	– déposer plainte auprès des autorités
LODG(E)MENT (n)	logement; déposition; dépôt
LODGER (n)	locataire d'un meublé; pensionnaire
LOGGER (n)	(US) bûcheron
be at LOGGERHEADS with (v)	être en brouille avec
LOIN (n)	(souvent au pluriel) région des reins; (boucherie) longe
– loin-cloth	– pagne
– loin of mutton	– filet de mouton
LONG (v)	désirer ardemment (F) longer = (E) to border, to go along
LOT (n)	sort, destin, destinée; lot (sort & terrain); (le) tout
– redeemed by lot	– racheté par voie de tirage
– a lot of	– beaucoup de
– the lot of you	– vous tous
– bad lot	– canaille, dévoyé
LOUNGE (v)	flâner, être oisif; s'appuyer ou s'étendre nonchalamment
– we spent a week lounging in Nice	– nous avons passé une semaine à flâner à Nice
LUCID (adj)	lucide, clair; brillant, lumineux
– lucid mind	– esprit clair
LUCIDITY (n)	lucidité; clarté, luminosité
LUNATIC (adj)	fou, aliéné, dément

– he's a lunatic

– il est cinglé
(F) lunatique = (E) quirky, whimsical

LUTE (n)

mastic; luth
(F) lutte = (E) struggle, fight

LUTE (v)

mastiquer
(F) lutter = (E) to struggle

LUXURIOUS (adj)
– she took a long luxurious hot bath

luxueux, somptueux
– elle prit un long bain chaud qui lui fit le plus grand bien
(F) luxurieux = (E) lustful, sensual

LUXURY (n)

luxe, régal

MACHINE (n)	machine; appareil; automate; organisation
– the democratic machine	– (US) l'appareil du parti démocrate
MADONNA lily	lis blanc
MAGAZINE (n)	revue, périodique, magazine; dépôt (de munitions); chargeur (d'un fusil, d'un appareil photo)
MAGGOT (n)	ver; asticot (F) magot = (E) pile (of money), savings, nest egg
MAGIC (n)	magie
– as if by magic	– comme par enchantement
MAIL (n)	poste; courrier; mailles
– mailbox	– boîte aux lettres (privée)
– mail-order	– vente / achat par correspondance
– the mailed fist	– la manière forte
MAIN (adj)	principal; essentiel
MAIN (n)	canalisation ou conduite principale
– to be connected to the mains	– être branché sur le secteur
– with might and main	– de toutes ses forces
– in the main	– en général; en somme
MAJOR (adj)	important; considérable; majeur
– major road	– route à priorité

MAJOR (n) — commandant; chef de bataillon; majeur légal; (US) matière principale à l'université
- her major is French — elle a choisi le français comme branche principale

MAJOR in (v) — (US) se spécialiser en qch à l'université

(F) majorer = (E) to increase

MALE (adj) — masculin; mâle

MALICE (n) — malice, méchanceté, malveillance
- to bear sb malice — en vouloir à qn
- with malice aforethought — avec préméditation

MALICIOUS (adj) — méchant; malveillant; rancunier; fait avec intention criminelle, avec préméditation
- malicious damage — dommage causé avec intention de nuire

(F) malicieux = (E) mischievous, roguish

MALIGN (adj) — nuisible
- a malign influence — une influence pernicieuse

(F) malin = (E) (personne) smart, shrewd; (maladie) malignant

MALIGN (v) — calomnier, diffamer
- she was maligned by the newspapers — les journaux l'ont calomniée

MALINGER (v) — simuler la maladie
- he says he's got the flu, but I think he is malingering — il dit qu'il a la grippe, mais à mon avis il fait semblant

MALINGERER (n) — faux malade; simulation

(F) malingre = (E) puny

MALLET (n) — maillet

(F) mallette = (E) briefcase

MAMMAL (n) — mammifère

(F) mamelle = (E) teat, udder, breast

MANAGE (v) — diriger, gérer, administrer; manoeuvrer; se débrouiller, réussir

- she manages well — elle sait s'y prendre
- can you manage? — ça ira?
- managing director — directeur général
- managed economy — économie dirigée

MANAGEMENT (n) — direction; gestion, administration, exploitation, management; savoir-faire
- under new management — changement de direction
- management trainee — cadre stagiaire

MANAGER (n) — directeur; administrateur; gérant; exploitant
- he's a bad manager — il ne sait pas s'organiser

MANDATORY (adj) — obligatoire; mandataire
- voting is mandatory in Belgium — en Belgique le vote est obligatoire
- mandatory provisions — (droit) dispositions impératives

MANE (n) — crinière

(F) manne = (E) (religion) manna; (aubaine) godsend; (objet) large wicker basket

MANGE (n) — gale

MANGER (n) — mangeoire, auge; (religion) crèche

MANIA (n) — folie furieuse; délire; (sens péjoratif) manie, penchant morbide
- to have a mania for sth — avoir la passion, la manie de qch

MANIAC (n) — fou furieux, enragé; (psychologie) maniaque
- the football maniacs — les mordus du football

MANSION (n) — hôtel particulier; (à la campagne) manoir, château
- Mansion House — résidence officielle du Lord Mayor de Londres

MANTLE (n) — cape; (sens figuré) manteau
- mantle of snow — manteau de neige
- gas mantle — manchon à incandescence

MANUFACTURE (n) — fabrication, confection; produit manufacturé
- the woollen manufacture — l'industrie lainière

(F) manufacture = (E) factory

MANUFACTURE (v)	fabriquer, confectionner; manufacturer
– you'll have to manufacture a good excuse if you don't go to his wedding	– il te faudra inventer une bonne excuse si tu ne vas pas à son mariage
MAR (v)	gâcher; déparer (la beauté)
– make or mar	– quitte ou double
– the new power station mars the beauty of the landscape	– la nouvelle centrale électrique dépare le paysage
MARCH (v)	défiler, marcher au pas
– to give sb his marching orders	– (familier) flanquer qn à la porte
MARE (n)	jument
– the grey mare is the better horse	– c'est la femme qui porte la culotte
	(F) mare = (E) pond
MARGE (n)	(GB) abréviation de : **MARGARINE** = margarine
	(F) marge = (E) margin
MARGINAL land	terrains à faible rendement
MARGINAL seat	(GB, Parlement) siège chaudement disputé
MARINE (n)	fusilier marin; (US) marine
– tell that to the marines!	– à d'autres!
MARINER (n)	marin
– mariner's compass	– boussole
MARK (n)	marque, signe; étiquette; but, cible; tache; trace; note (scolaire); série
– punctuation marks	– signes de ponctuation
– to be up to the mark	– être à la hauteur
– to make one's mark as a poet	– se faire un nom en tant que poète
– beside the mark	– à côté de la question
– Concorde Mark I	– Concorde de la première série
MARMALADE (n)	confiture de pelures (d'orange ou de citron)
	(F) marmelade = (E) stewed fruit

MARMOT (n)	marmotte (F) marmot = (E) kid
MAROON (n)	fusée d'avertissement; pétard (F) marron = (E) chestnut
MAROON (v)	abandonner sur une île déserte; (sens figuré) bloquer
– we were marooned on a small island	– on a été bloqués dans une petite île
MARSH (n)	marais, marécage
– marsh-mallow	– guimauve
– marsh fever	– paludisme
MARTINET (n)	personne à cheval sur la discipline
– to be a martinet	– être impitoyable (F) martinet = (E) (objet) whip, strap; (oiseau) swift
MASH (v)	broyer, écraser; (bière) brasser
– mashed potatoes	– purée de pommes de terre
– to be mashed on sb	– avoir le béguin pour qn
MASS (n)	masse, amas, agglomération; messe
– mass production	– fabrication en grande série
MAT (n)	natte (de paille); paillasson; carpette
– table-mat	– dessous-de-plat; napperon
– to be on the mat	– être sur la sellette (F) mât = (E) mast
MAT (v)	(jonc) natter, tresser; emmêler
– matted hair	– cheveux emmêlés
– to become matted	– se feutrer
MATCH (n)	allumette; match; égal(e); pareil(le); mariage, alliance
– to be a good match	– être bien assortis
– to meet one's match	– trouver à qui parler
MATERIAL (adj)	matériel; important, essentiel; pertinent
– facts material to the investigation	– des faits en rapport avec l'enquête

MATINEE (n)	matinée (uniquement au spectacle)
– matinée idol	– idole du public féminin
MATRON (n)	matrone; mère de famille; intendante; infirmière-en-chef; directrice (d'un orphelinat)
– matron-of-honour	– dame d'honneur
MATTRESS (n)	matelas
	(F) maîtresse = (E) mistress
MEAGRE (US: MEAGER) (adj)	maigre; peu abondant
– meagre attendance	– public clairsemé
MECHANIC (n)	mécanicien
– motor mechanic	– mécanicien garagiste
	(F) *la* mécanique = (E) mechanics; engineering
MEDICAL profession	corps médical
MEDICAL Officer of Health	directeur de la Santé Publique
MEDICINE (n)	médecine; médicament, remède
– medicine cabinet	– armoire à pharmacie
– medicine man	– sorcier
– he took his medicine	– il a avalé la pilule
MEDIUM (n)	milieu; moyen; (spiritisme) médium
– happy medium	– juste milieu
– through the medium of the press	– par la voie journalistique
MEETING (n)	réunion; rencontre (concertée)
	(F) meeting = (E) rally, show
MEMORIAL (adj)	commémoratif
– Memorial Day	– (US) jour de fête à la mémoire des soldats morts à la guerre (dernier lundi de mai)
– memorial park	– (US) cimetière
MEMORIAL (n)	monument commémoratif; pétition, requête; (au pluriel) chroniques historiques
MENTAL (adj)	mental; intellectuel
– mental case	– aliéné

– mental hospital	– clinique psychiatrique
– mental healing	– thérapeutique par la suggestion
– mental reservation	– arrière-pensée
– mental powers	– facultés intellectuelles
MERCURIAL (adj)	vif, ardent; changeable, inconstant, instable
– mercurial temper	– humeur instable
MERCY (n)	pitié; grâce, miséricorde; (justice) indulgence
– to be left to the tender mercies of	– (ironique) être livré au bon vouloir de
– what a mercy!	– quelle chance!
– his death was a mercy	– sa mort a été une délivrance
– thankful for small mercies	– reconnaissant des moindres bienfaits
MERE (adj)	simple, pur; seul
– it's mere chance	– c'est un pur hasard
– he's a mere child	– ce n'est qu'un enfant
– they quarrelled over a mere nothing	– ils se sont disputés pour une vétille
MERE (n)	étang, lac
MESS (n)	fouillis, gâchis, désordre; (armée) mess
– he made a mess of it	– (familier) il a tout gâché
– he has got into a mess	– il s'est mis dans de beaux draps
– mess dress	– (armée) tenue de soirée
	(F) messe = (E) mass
MESSY (adj)	sale, malpropre; salissant; en désordre
– what a messy business!	– quelle salade!
METER (n)	compteur; (US) mètre
– meter maid	– (US) contractuelle, aubergine
METHOD (n)	méthode; ordre; manière; procédé
– methods of payment	– modes de paiement
– there is method in his madness	– il n'est pas aussi fou qu'il en a l'air
MIEN (n)	mine, air, contenance
– lofty mien	– port hautain
MILL (n)	moulin; usine, manufacture
– to put sb through the mill	– mettre qn à l'épreuve

MIMIC (adj)	imitateur, factice
– mimic battle	– bataille simulée
MIMIC (n)	imitateur; singe
	(F) mimique = (E) comical expression, sign language, gesticulations
MINCE (n)	bifteck haché; hachis de viande
– mince-pie	– tourte contenant des raisins secs, des pommes et des amandes moulues
MINCE (v)	hacher; minauder
– he didn't mince his words	– il n'a pas mâché ses mots
– to mince in/out	– entrer/sortir à petits pas
MINCER (n)	hachoir
MINE (v)	miner; extraire (du charbon), creuser, fouiller
MINION (n)	serviteur préféré; (ironique) personne prête à tout pour obtenir les faveurs de qn
– minions of the law	– (humoristique ou ironique) serviteurs de la loi
MINUTE (adj)	minuscule; minutieux; détaillé
– in minute detail	– dans les moindres détails
MINUTE (n)	minute; moment; note; (souvent au pluriel) compte-rendu
– minutes of the meeting	– procès-verbal de la réunion
– minute-book	– registre des délibérations
– who will take the minutes ?	– qui sera le rapporteur de la réunion ?
MINUTE (v)	rédiger le compte rendu de; faire passer une note à
– I want my disagreement to be minuted	– je désire que mon désaccord figure au procès-verbal
	(F) minuter = (E) to time
MIRE (n)	boue; vase; bourbier
– to be in the mire	– être dans le pétrain
– to drag sb's name through the mire	– traîner qn dans la boue
	(F) mire = (E) (TV) test card, (arpentage) surveyor's rod

MISCONCEPTION (n) — idée fausse; malentendu, méprise
- the popular misconception that government can guarantee full employment — l'idée couramment répandue selon laquelle le gouvernement peut garantir le plein emploi

MISCONSTRUCTION (n) — mauvaise interprétation
- this law is not open to misconstruction — il n'y a pas moyen de mal interpréter cette loi

MISCONSTRUE (v) — mal interpréter
- don't misconstrue what I am going to say — ne comprenez pas mal ce que je vais dire

MISCREANT (n) — scélérat, gredin

MISER (n) — avare, grippe-sou

(F) misère = (E) poverty, destitution

MISERY (n) — tristesse, douleur; détresse: souffrance(s); misère; grincheux, rabat-joie
- the miseries of mankind — les souffrances de l'humanité
- to live in misery and want — vivre dans la détresse et le dénuement
- what à misery you are! — quel grincheux tu fais!

MISFORTUNE (n) — malheur, malchance, infortune
- misfortune dogs his footsteps — il joue de malchance

MITE (n) — (archaïque) denier; mioche, bambin; parcelle; brin, tantinet; mite
- to offer one's mite — donner son obole
- poor little mite ! — pauvre petit !
- we were a mite surprised — nous avons été un rien surpris

(F) mite = (E) moth

MITIGATE (v) — attténuer, adoucir, mitiger
- mitigating circumstances — circonstances atténuantes

MIXER (n) — mixer; (personne) ingénieur du son; (machine) mélangeur du son; personne qui a le contact facile
- he's a good mixer — il est très sociable

MOBILE (adj) — mobile; changeant, versatile; expressif
- mobile studio — car de reportage
- I'm not mobile this week — je ne suis pas motorisé cette semaine

MOCK (adj) — faux; d'imitation, feint, contrefait
- mock battle — bataille pour rire
- mock modesty — fausse modestie
- mock trial — simulacre de procès

MOCKERY (n) — moquerie; objet de dérision; semblant, simulacre de; caricature
- a mockery of justice — une parodie de la justice

MODERATE (adj) — modéré; ordinaire; moyen
- moderate meal — repas sobre
- moderate sized — de taille moyenne

MODERATION (n) — modération; mesure, retenue, sobriété
- moderations (= mods) — à Oxford, l'équivalent des examens de première année

MOLASSES (n) — mélasse

MOLE (n) — taupe; grain de beauté; môle, digue
- moleskin — peau de taupe; velours de coton

MOMENTOUS (adj) — important, capital

MOMENTUM (n) — élan, vitesse acquise; (physique) moment
- to lose momentum — être en perte de vitesse

MONEY (n) — argent

(F) monnaie = (E) (petite monnaie) (small) change; (devise) currency

MONEYED (adj) — fortuné, cossu, riche
- the moneyed classes — les classes possédantes, les nantis
- the moneyed interest — les capitalistes

MORALE (n) — *le* moral

(F) *la* morale = (E) moral

MORBID (adj) — morbide; malsain; maladif
- morbid curiosity — curiosité maladive
- morbid anatomy — anatomie pathologique

MORTGAGE (n) — hypothèque; emprunt-logement
- to clear a mortgage — rembourser un emprunt hypothécaire

MORTICIAN (n)	(US) entrepreneur de pompes funèbres
MORTIFICATION (n)	mortification; humiliation; (médecine) gangrène
MORTIFY (v)	mortifier; humilier; (médecine) se gangrener
MOTE (n)	grain de poussière (F) motte = (E) lump, block
MOTION (n)	mouvement; geste; mécanisme; motion, proposition; signe; (médecine) selles
– to put in motion	– mettre en marche
– all her motions were graceful	– chacun de ses gestes était plein de grâce
– to go through the motions	– faire semblant de faire qch
– to pass a motion	– (médecine) aller à selles
MOTION (v)	faire signe de faire qch
– he motioned me to a chair	– il me fit signe de m'asseoir
MOTOR (v)	(GB, vieilli) conduire en auto
– to motor sb back	– ramener qn en voiture
MOTORIST (n)	automobiliste
MUNDANE (adj)	de ce monde; terrestre; mondain; banal
– mundane existence	– vie quelconque
MUSE (v)	méditer, rêvasser
MUTE (v)	étouffer (un son); mettre une sourdine à
– muted	– en sourdine
– muted criticism	– critique voilée (F) muter = (E) to transfer, to move
MUTUAL friend	ami commun
MYSTIFICATION (n)	mystification; embrouillement, désorientation; perplexité
– why all the mystification ?	– pourquoi tout ce mystère ?
MYSTIFY (v)	mystifier; embrouiller, dérouter, rendre perplexe
– mystified by ...	– intrigué par ...
– a strange case that mystified the police	– une affaire bizarre qui rendait les policiers perplexes

NANCY (n)	(argot) tapette, tante
NAP (n)	petit somme; poil, duvet; (aux courses) tuyau sûr
– to have/take an afternoon nap	– faire la sieste
– against the nap	– à rebrousse-poil
– his coat had lost its nap	– son manteau était râpé
NAP (v)	sommeiller; garnir, molletonner; (aux courses) donner un tuyau sûr
– to catch sb napping	– prendre qn au dépourvu
– to nap the winner	– donner le cheval gagnant
NAPE (n)	nuque (F) nappe = (E) tablecloth
NATIVE (adj)	natif, indigène; originaire de; inné
– native language	– langue maternelle
– English native-speaker	– personne dont l'anglais est la langue maternelle; anglophone
– native ability	– aptitude innée
NATTY (adj)	soigné, chic, coquet, pimpant; astucieux, habilement exécuté
– he's a natty dresser	– il est toujours tiré à quatre épingles
NAVVY (n)	terrassier
NEAT (adj)	soigné; net, propre; en ordre, bien tenu; simple et de bon goût; pur

- neat attire — mise soignée
- as neat as a new pin — tiré à quatre épingles; propre comme un sou neuf
- he drank his whisky neat — il a bu son whisky sec

NEGLECT (n) — manque d'égards ou de soins; manquement; manque d'intérêt, négligence

- his neglect of his promise — son manquement à sa promesse
- he died in total neglect — il mourut abandonné de tous

NERVE (n) — nerf; nervure; nervosité; courage; assurance; toupet, culot

- it was a test of nerve and stamina — c'était une épreuve de sang-froid et d'endurance
- he had the nerve to say ... — il a eu le toupet de dire que ...

NERVOUS (adj) — nerveux; timide; craintif, peureux

- it makes me nervous — cela m'intimide
- are you nervous in the dark ? — avez-vous peur dans le noir ?
- nervous Nellie — (US) trouillard(e)

NERVY (adj) — énervé; irritable; (US) effronté, qui a du culot

- to be in a nervy state — avoir les nerfs à fleur de peau

NET (n) — filet; tulle, voile

- to walk into the net — tomber dans le panneau

NEUTER (n) — (grammaire) le genre neutre; animal châtré

NICKEL (n) — nickel; (US & Canada) pièce de cinq cents

- nickel-plated — nickelé

NIP (n) — pincement; morsure; goutte, doigt (d'alcool)

- nip and tuck — (US) serré, au quart de poil près

(F) nippes = (E) togs

NIP (v) — pincer; mordre; boire une goutte, siroter; (familier) piquer, faucher

- he nipped into the café — il a fait un saut au café

(F) nipper = (E) to tog out

NIPPER (n) — pince (d'animal); tenaille; gosse, mioche

NOISE (n) — bruit; son; tapage, vacarme

- big noise — (familier) huile, grosse légume

(F) chercher noise = (E) to try to pick a quarrel

NOMINAL (adj)	qui n'a que le nom; (US, argot) conforme au plan prévu
– to be the nominal head	– n'être chef que de nom
– nominal rent	– loyer symbolique
– nominal value	– valeur fictive
NOMINATE (v)	nommer; proposer, présenter
– he was nominated for the Presidency	– il a été proposé comme candidat à la Présidence
NOMINATION (n)	proposition de candidature, candidature, présentation; droit de nommer; nomination
– nominations must be received by April 3rd	– les candidatures doivent être introduites avant le 3 avril
NOMINEE (n)	candidat désigné; personne choisie pour bénéficier de qch
for the NONCE	pour l'occasion
– nonce-word	– mot de circonstance
NONENTITY (n)	personne insignifiante; nullité
NONPLUS (v)	dérouter, déconcerter, désemparer
– he was nonplussed	– il était interloqué
NOTICE (n)	avis, notification; avertissement; congé (donné par l'employeur); démission (de l'employé)
– to take no notice of	– ne pas faire attention à
– a month's notice	– un préavis d'un mois
– to hand in one's notice	– donner sa démission
– to get one's notice	– recevoir son licenciement
	(F) notice = (E) note; directions
NOTION (n)	idée; opinion; notion
– I have a notion that	– j'ai dans l'idée que
– as the notion takes him	– suivant l'idée qui lui passe par la tête
– if that is your notion of fun	– si c'est ça que tu appelles t'amuser
– notions	– (US) mercerie
NOTORIETY (n)	mauvaise réputation; individu tristement célèbre
	(F) notoriété = (E) fame

NOTORIOUS (adj) d'une triste célébrité
- the notorious case of ... – l'affaire tristement célèbre de ...

(F) notoire = (E) well-known, acknowledged

NOUS (n) bon sens, jugeotte
- he's got a lot of nous – (familier) il a du plomb dans la cervelle

NOVEL (adj) singulier, original, inédit; nouveau
- that's a novel idea! – voilà qui est original!

NOVEL (n) roman

(F) nouvelle = (E) short story

NOVELETTE (n) court roman, nouvelle; roman bon marché, à l'eau de rose

NOVELIST (n) romancier, romancière

NUDE (n) nu (artistique)
- a Goya nude – un nu de Goya

NUISANCE (n) ennui, embêtement; fléau; peste; infraction simple; dommage simple
- commit no nuisance – défense d'uriner; défense de déposer des immondices
- what a nuisance that child is! – quelle peste cet enfant!
- a public nuisance number one – une calamité publique

(F) nuisance = (E) pollution

NUMBER (n) nombre; numéro; quantité; modèle
- a pretty little number – une jolie fille, une belle nénette
- this car is a nice little number – c'est une chouette petite voiture
- to look after number one – penser avant tout à son propre intérêt
- to play the numbers – (US) faire des paris clandestins

NURSE (n) infirmière; garde-malade; bonne d'enfants; nourrice
- trained nurse – infirmière diplômée
- male nurse – infirmier
- the nurses' dispute – les revendications du personnel soignant
- England, the nurse of democracy – l'Angleterre, berceau de la démocratie

NURSE (v) — soigner; allaiter; bercer, tenir dans ses bras; cultiver (une plante); mijoter (un plan)

- to nurse a cold — soigner un rhume
- to nurse one's public — soigner sa popularité
- to nurse a constituency — soigner ses électeurs
- to nurse a drink all evening — faire durer un verre toute la soirée

NURSERY (n) — chambre des enfants; crèche, garderie; pépinière

- nursery-school — jardin d'enfants
- nurseryman — pépiniériste
- nursery-nurse — puéricultrice
- nursery slopes — (ski) pistes pour débutants

OBDURATE (adj)	obstiné, têtu, opiniâtre; impénitent
OBEDIENCE (n)	obéissance; soumission; obédience; marque de respect
– to compel obedience from sb	– se faire obéir par qn
– to enforce obedience to the law	– faire respecter la loi
OBEDIENT (adj)	obéissant, docile, soumis
– your obedient servant	– veuillez agréer, Messieurs, l'expression de ...
OBEISANCE (n)	hommage, révérence, salut cérémonieux
– to pay obeisance to	– rendre hommage à
	(F) obéissance = (E) obedience
OBFUSCATE (v)	obscurcir (le jugement); déconcerter, dérouter
OBITUARY (notice)	notice nécrologique, nécrologie
OBJECT (n)	objet, chose; sujet; objectif, but; (sens péjoratif) personne ridicule
– an object of admiration	– un sujet d'admiration
– it was an object lesson in good manners	– c'était une démonstration de bonnes manières
– money is no object	– le prix est sans importance
– what an object she looks in that dress !	– (péjoratif) de quoi a-t-elle l'air dans cette robe !
OBJECT (v)	élever une objection contre; s'opposer à; désapprouver; protester

– I don't object to it	– je n'y vois pas d'inconvénient
– it was objected that	– on fit valoir que
– I wouldn't object to a bite to eat	– je mangerais bien un morceau
– to object to a witness	– (droit) récuser un témoin
OBJECTION (n)	objection; obstacle; inconvénient
– objection overruled	– (droit) objection rejetée
OBJECTIONABLE (adj)	insupportable; répréhensible; inadmissible
– objectionable person	– personne insupportable
– objectionable smell	– odeur nauséabonde
– objectionable language	– propos choquants
OBJECTOR (n)	opposant
OBJURGATION (n)	objurgation; réprimande
OBLITERATE (v)	effacer, faire disparaître, enlever; rayer; (poste) oblitérer
– to obliterate the past	– faire table rase du passé
OBLITERATION (n)	rature; effacement; (poste) oblitération
OBSERVER (n)	observateur, spectateur; expert, spécialiste
– he came as an observer	– il est venu en curieux
– an observer of Soviet politics	– un spécialiste de la politique soviétique
OBTAIN (v)	obtenir; (se) procurer; avoir cours, prévaloir, être courant
– system now obtaining	– système actuellement en vigueur
OCCASION (n)	circonstance; événement; motif; occasion
– I have no occasion for complaint	– je n'ai pas lieu de me plaindre
– to go about one's occasions	– vaquer à ses occupations
OCCASIONAL (adj)	occasionnel; de circonstance
– occasional music	– musique de circonstance
– occasional showers	– averses intermittentes
OCCUPATIONAL (adj)	qui a rapport au métier ou à la profession
– occupational disease	– maladie professionnelle
– occupational hazards	– risques du métier
– occupational therapy	– ergothérapie

OCCURRENCE (n)	événement; circonstance; fait de se produire, d'arriver
– it is of everyday occurrence	– cela arrive souvent
	(F) en l'occurrence = (E) in this case, at this juncture
OCTET (n)	(musique) octuor; (poésie) huitain
	(F) octet = (E) byte
OCTOPUS (n)	pieuvre, poulpe; fixe-bagages
– octopus organization	– organisme à ramifications multiples
OFFENCE (US: OFFENSE) (n)	délit, infraction; offense, péché; (armée) attaque, offensive
– no offence meant	– je ne voulais pas vous froisser
– minor offence	– contravention
– second offence	– récidive
– the offense	– (US, sport) les attaquants
OFFEND (v)	blesser, froisser, offenser; enfreindre; outrager
– it offends the eye	– cela choque la vue
OFFENDER (n)	délinquant; contrevenant; agresseur, offenseur
– previous offender	– récidiviste
OFFENSIVE (adj)	offensant, choquant, blessant, injurieux; grossier; offensif
– offensive language	– grossièretés
– offensive smell	– odeur nauséabonde
OFFEREE (n)	(droit & finance) destinataire d'une offre
OFFEROR (n)	(droit & finance) auteur d'une offre, offrant
OFFICE (n)	bureau; service; charge, emploi, fonction; office(s) (également religieux)
– doctor's office	– (US) cabinet médical
– lawyer's office	– étude (de notaire, etc...)
– the sales office	– le service des ventes
– the Home Office	– (GB) le Ministère de l'Intérieur
– to take office	– entrer en fonctions
– he performs the office as treasurer	– il fait fonction de trésorier
– to perform the last offices	– rendre les derniers devoirs

OFFICER (n) — officier; fonctionnaire; membre du bureau ou du comité directeur
- Customs officer — douanier
- police officer — agent de police
- duly authorized officer — (droit) représentant dûment habilité

OFFICIAL (n) — fonctionnaire; responsable; officiel
- town hall official — employé de mairie, (en Belgique) employé communal
- the official in charge of ... — le responsable de ...

OFFICIALDOM (n) — administration; (sens péjoratif) bureaucratie

OFFICIOUS (adj) — trop empressé, trop zélé
(F) officieux = (E) unofficial

OMNIBUS (adj) — à usages multiples
- omnibus bill — (US) projet de loi qui comprend plusieurs mesures
- omnibus series — (philatélie) ensemble des timbres émis par différents pays pour commémorer le même événement
- omnibus volume — gros recueil reprenant plusieurs livres

OMNIBUS (n) — (vieilli) autobus; recueil
(F) omnibus = (E) slow /local train

ONCE (adv) — une fois; jadis
- at once — tout de suite, immédiatement
- a once powerful nation — une nation autrefois puissante
- to give sb the once-over — jauger qn d'un coup d'oeil
(F) once = (E) ounce (oz)

ONEROUS (adj) — pénible
- onerous duty — devoir pénible
- onerous responsibility — lourde responsabilité
(F) onéreux = (E) costly

OPERATE (v) — agir, avoir de l'effet; (faire) fonctionner; exploiter; (Bourse) faire des opérations; travailler sur
- this switch operates a fan — ce bouton actionne un ventilateur

OPERATE on (v) — (médecine) opérer
- to operate on sb's eyes — opérer qn des yeux
- operating theatre — (médecine) salle d'opérations

OPERATION (n)	marche, action, fonctionnement; exploitation; opération
– to come into operation	– entrer en vigueur
– in operation	– (machine) en marche
– our operations in Egypt	– nos exploitations en Egypte
OPERATOR (n)	standardiste; opérateur; (usine) directeur
– tour operator	– organisateur de voyages
– a big-time operator	– un escroc d'envergure
– he's a smooth operator	– (péjoratif) c'est quelqu'un qui sait y faire
OPINE (v)	être d'avis ou émettre l'avis que
	(F) opiner = (E) to nod
OPPORTUNITY (n)	occasion (favorable)
– when the opportunity occurs	– à l'occasion
– equality of opportunity	– égalité de chances
	(F) opportunité = (E) timeliness, appropriateness
ORDAIN (v)	ordonner (sens religieux); prescrire, décréter
– it was ordained that he should die young	– le destin a voulu qu'il meure jeune
ORDEAL (n)	supplice, rude épreuve; (histoire & droit) ordalie
– speaking in public was an ordeal for him	– il était au supplice quand il devait parler en public
ORDER (n)	ordre, commandement; consigne; commande; décret
– made to order	– fait sur mesure
– that's a large order!	– c'est un peu trop demander!
– departmental order	– arrêté ministériel
– in short order	– (US) sans délai
ORDER (v)	ordonner; commander; faire venir; passer commande
– the regiment was ordered to Berlin	– le régiment a reçu l'ordre d'aller à Berlin
ORE (n)	minerai
ORGAN (n)	organe; orgue(s)
– grand organ	– grandes orgues

ORIGINAL (adj) — originel; originaire, initial, primitif; original, inédit
- original cost — (finance) coût d'acquisition
- original jurisdiction — (US, droit) juridiction de première instance

ORISON (n) — (vieilli) oraison, prière

OSTENSIBLE (adj) — prétendu; soi-disant; feint; apparent
- with the ostensible object of — sous prétexte de

(F) ostensible = (E) conspicuous

OSTENSIBLY (adv) — en apparence; officiellement
- he was ostensibly a student — il était soi-disant étudiant

(F) ostensiblement = (E) conspicuously

OUST (v) — déposséder, évincer, supplanter; prendre la place de
- they ousted him from the chairmanship — ils l'ont évincé de la présidence

OUTRAGE (n) — atrocité; outrage; indignation intense; acte de violence; atteinte à, attentat, scandale
- bomb outrage — attentat à la bombe
- outrage upon decency — attentat à la pudeur
- it's an outrage against humanity — c'est un crime contre l'humanité

OUTRE (adj) — outré; outrancier, qui dépasse les bornes

OVERT (adj) — patent, évident; déclaré
- overt hostility — inimitié non déguisée

OVERTURE (n) — offre, proposition; (musique & sens figuré) ouverture
- friendly overtures — avances amicales

PACIFIER (n)	(US) tétine, sucette (pour bébé); pacificateur
PACKAGE (n)	paquet, colis; emballage
– package deal	– marché, contrat global
– package tour	– voyage tout compris
– a new software package	– (informatique) un nouveau progiciel
PADRE (n)	aumônier militaire; prêtre, curé; pasteur
PAGE (n)	le page; (hôtel) chasseur, groom; (US, Congress) jeune huissier
PAGE (v)	paginer, mettre en pages; faire appeler
– They are paging Mr Smith	– on appelle M. Smith
PAIL (n)	seau (F) paille = (E) straw
PAIN (n)	douleur, souffrance; peine; (pluriel) efforts
– to take great pains to do sth	– se donner beaucoup de peine pour faire qch
– he's a pain in the neck (US: in the ass)	– (familier) c'est un emmerdeur fini
PAL (n)	copain, copine (F) pal = (E) pale; stake
PALACE (n)	palais (F) palace = (E) luxury hotel

PALE (n)	pieu; pal
– outside the pales of society	– au ban de la société, à l'index
– he's quite beyond the pale	– il est absolument infréquentable
PALLET (n)	paillasse; grabat; palette (à marchandises); pelle (à tarte)
PALLIATE (v)	pallier; atténuer
– palliating circumstances	– circonstances atténuantes
PALM (n)	paume; palme, palmier
– to grease sb's palm	– graisser la patte à qn
– Palm Sunday	– dimanche des Rameaux
PALM (v)	cacher au creux de la main; escamoter
PALMIST (n)	chiromancien(ne)
PALMY days	jours heureux, époque faste
PALPABLE (adj)	palpable; clair, évident; sensible
– palpable error	– erreur manifeste
PAMPHLET (n)	brochure; opuscule; (rare) pamphlet (F) pamphlet = (E) satirical tract
PAMPHLETEER (n)	auteur de brochures; pamphlétaire
PAN (n)	casserole, poêle, poêlon; cuvette (de WC); plateau (de balance)
PANE (n)	vitre, carreau
PANEL (n)	panneau; tableau de bord; commission (d'enquête, etc...); (Radio & TV) table ronde, invités
– panel of examiners	– jury d'examen
PANTIES (n pl)	slip (de femme)
PAP (n)	bouillie; lecture de divertissement; niaiseries
– I don't know how you can watch all that pap on the television	– je ne sais pas comment tu peux regarder toutes ces bêtises à la télévision

PAPER (n)	papier; journal; document(s); examen écrit; article; exposé; communication (scientifique)
– she did a good paper in French	– elle a rendu une bonne copie de français
PAPER (v)	tapisser
– to paper over the cracks	– (sens figuré) arranger les choses
– to paper the house	– (US, sens figuré) remplir la salle d'invités
PAR (n)	égalité; moyenne; pair; abréviation de **PARAGRAPH**
– par value	– valeur nominale
– below par	– en dessous de la moyenne
– he isn't feeling quite up to par	– il n'est pas dans son assiette
PARADE (n)	défilé; parade; revue; fait de faire étalage de; esplanade, promenade (publique), boulevard (souvent en bord de mer)
– fashion parade	– présentation des collections
– parade ground	– terrain de manoeuvres
PARAGRAPH (n)	paragraphe; alinéa; entrefilet
without PARALLEL	sans pareil(le)
PARAMOUR (n)	(vieilli) amant ou maîtresse
PARCEL (n)	colis, paquet; parcelle (de terrain), lot
– parcel bomb	– colis piégé
– to send by parcel post	– expédier par le service des colis postaux
– parcel of lies	– tissu de mensonges
– part and parcel of	– partie intégrante de
PARDNER (n)	(US, familier) camarade, pote
PARDON (v)	pardonner; (droit) gracier, amnistier
PARE (v)	rogner; peler, éplucher; limer
– to pare (down) expenses	– réduire les dépenses
– cheese-parings	– croûtes de fromage
	(F) parer = (E) to adorn
	(F) parer à = (E) to be prepared for
PARENT (n)	le père ou la mère
– parent organization	– société mère
	(F) des parents éloignés = (E) distant relatives

PARIETAL (n)	(anatomie) pariétal; (au pluriel; US universités) heures de visite du sexe opposé dans les chambres d'étudiants
PARLANCE (n)	langage; parler
– in common parlance	– en langage courant
PARLO(U)R (n)	petit salon; arrière-salle; (couvent) parloir
– parlour games	– jeux de société
– parlourmaid	– femme de chambre
PAROLE (n)	(armée) parole d'honneur; (justice) liberté conditionnelle
– parole board	– (GB) juge de l'application des peines
	(F) parole = (E) word
PARRY (v)	parer (un coup), détourner
	(F) parier = (E) to bet
PARSONAGE (n)	presbytère
	(F) personnage = (E) character; very important person
PART (n)	partie; pièce; rôle
– spare parts	– pièces de rechange
– to take sb's part in a quarrel	– prendre le parti de qn lors d'une dispute
PART (v)	partager; (se) quitter; séparer (foule); se défaire de
– parting injunctions	– dernières recommandations
– he and his wife have parted company	– sa femme et lui se sont séparés
be PARTIAL to (v)	avoir un faible pour
– I am partial to a pipe after dinner	– je fume volontiers une pipe après le dîner
	(F) partial = (E) biased, prejudiced
PARTIALITY (n)	partialité; préjugé favorable; prédilection
– partiality for the bottle	– penchant pour la bouteille
PARTICULAR (adj)	particulier; déterminé; minutieux, pointilleux
– a particular friend of his	– un de ses amis intimes
– I'm not particular about it	– je n'y tiens pas plus que cela
– a full and particular account	– un compte-rendu complet et détaillé
– he is very particular about his food	– il est très difficile pour manger

PARTICULAR (n)	détail
– for further particulars apply to ...	– pour de plus amples renseignements, s'adresser à...
– particulars of a car	– fiche technique d'une voiture
– he is wrong in one particular	– il se trompe sur un point
PARTITION (n)	cloison; morcellement, partage, partition
– a glass partition	– une cloison vitrée
	(F) partition musicale = (E) musical score
PARTY (n)	parti; groupe; réunion intime, réception; (humoristique) individu
– third party	– tierce personne, tiers
– all the parties concerned	– tous les intéressés
– let's keep the party clean!	– un peu de tenue!
PASS (n)	laissez-passer, coupe-file; col, défilé; mention passable; situation
– free pass	– libre parcours
– passing degree	– diplôme avec satisfaction
– to get a pass in history	– être reçu en histoire
– to make a pass at a woman	– faire du plat à une femme
PASS (v)	passer; dépasser, doubler; s'écouler; se transformer; avoir cours; croiser
– to pass a bill	– (faire) adopter un projet de loi
– to pass an examination	– réussir un examen
	(F) passer un examen = (E) to take, to sit for an examination
– to pass a sentence	– prononcer un jugement
– the film passed the censors	– le film a reçu le visa de censure
PASTE (n)	pâte; colle; (bijou) strass
PAT (n)	petite tape; léger coup
– he deserves a pat on the back for that	– il mérite un compliment pour cela
PATE (n)	(familier) caboche
– a bald pate	– un crâne chauve
	(F) pâte = (E) paste
PATENT (adj)	patent, manifeste; breveté
– patent leather	– cuir verni

PATENT (n)	brevet (d'invention)
– to come off patent	– (US) tomber dans le domaine public
	(F) patente = (E) licence
PATENT (v)	faire breveter
PATHETIC (adj)	pitoyable, navrant; attendrissant
	(F) pathétique = (E) moving
PATHOS (n)	pathétique
– told with great pathos	– raconté de façon très émouvante
PATROL (n)	patrouille
– patrol wagon	– fourgon cellulaire
PATRON (n)	protecteur (des arts), mécène; client régulier, habitué; (religion) patron
– the patrons of the drama	– le public du théâtre
	(F) patron = (E) (commerce) boss, employer, owner; (tailleur) pattern
PATRONAGE (n)	patronage; appui; clientèle; népotisme; (US) nomination d'amis politiques
– to give out patronage jobs	– (US) donner des postes aux petits copains
PATRONIZE (v)	traiter d'un air protecteur; accorder sa préférence à; être client de
– patronizing tone	– ton paternaliste
PAVEMENT (n)	trottoir; (US) chaussée
	(F) pavement = (E) ornamental tiling
PEDESTRIAN (adj)	prosaïque, plat, terre à terre, banal
PENALTY (n)	pénalité; peine; amende; indemnités
– penalty clause	– clause de dommages-intérêts
– the penalty of fame	– la rançon de la gloire
– penalty area	– (football) surface de réparation
PENSIONER (n)	pensionné(e), retraité(e)
PEOPLE (n)	les gens; on; peuple, nation; race; famille

– people's park	– (US) jardin public
– how are your people ?	– comment çà va chez toi ?
PERFORMANCE (n)	représentation, séance; interprétation; fonctionnement; performance, rendement, résultat(s)
– afternoon performance	– (spectacle) matinée
– performance bond	– (finance) garantie de bonne fin
PERIOD (n)	période; époque; (souvent au pluriel) règles
PERIPATETIC (adj)	ambulant
– peripatetic teacher	– (GB) professeur qui enseigne dans plusieurs écoles
PERSONALTY (n)	(droit) biens personnels (F) personnalité = (E) personality
PEST (n)	insecte ou animal nuisible; (sens figuré) peste; (personne) casse-pieds
– pest control officer	– agent préposé à la lutte antiparasitaire
– rabbits are officially a pest in Australia	– en Australie les lapins sont classés comme animaux nuisibles (F) la peste = (E) plague
PESTER (v)	importuner, tourmenter, harceler
– he pesters the life out of me	– il me casse les pieds (F) pester = (E) to curse
PET (n)	animal favori; enfant gâté; favori, chouchou; accès de mauvaise humeur
– pet food	– aliments pour animaux
– pet name	– diminutif affectueux
– his pet subject	– son dada
– to take the pet	– prendre la mouche
– she's still in one of her pets!	– elle boude encore!
PET (v)	choyer, chouchouter; caresser, câliner, bécoter
PETITE (adj)	(femme) petite, svelte, mignonne et coquette
PETROL (n)	essence (= US gas) (F) pétrole = (E) oil, petroleum
PETTY (adj)	insignifiant, sans importance; mesquin, (esprit) petit

– petty expenses	– menus frais
– petty-minded	– mesquin
PETULANCE (n)	irritabilité; susceptibilité
– outburst of petulance	– mouvement d'humeur
	(F) pétulance = (E) vivacity, exuberance
PETULANT (adj)	irritable; susceptible; vif
– in a petulant mood	– de mauvaise humeur
	(F) pétulant = (E) vivacious, exuberant
PHILANDERER (n)	don Juan, coureur de jupons
PHOTOGRAPH (n)	photo(graphie)
	(F) photographe = (E) photographer
PHOTOGRAPH (v)	photographier
– he photographs well	– il est photogénique
PHRASE (n)	expression; locution; (musique) phrase
– as the phrase goes	– selon l'expression consacrée
	(F) phrase = (E) sentence
PHRASE (v)	exprimer, rédiger
– a neatly phrased letter	– une lettre bien tournée
PHYSIC (n)	(vieilli) médicament, drogue
	(F) *la* physique = (E) physics
	(F) *le* physique = (E) physique
PHYSICIAN (n)	médecin
	(F) physicien = (E) physicist
PHYSIQUE (n)	le physique; constitution
– poor physique	– mauvaise constitution
PICK (n)	pioche, pic; premier choix, élite
– the pick of the bunch	– le dessus du panier, la fine fleur
PICK (v)	choisir; cueillir; piocher; gratter
– to pick one's food	– manger du bout des lèvres
– to pick one's steps	– marcher avec précaution
– to pick one's teeth	– se curer les dents

- to pick a lock — crocheter une serrure
- to pick holes in an argument — relever les failles d'un raisonnement

PICKUP (n) — lecteur de disques, pick-up; camionnette découverte; passager ramassé en cours de route; partenaire de rencontre; (médecine) rétablissement; (économie) reprise

- the bus made three pickups — le bus s'est arrêté trois fois (pour prendre ou laisser descendre des passagers)

PIE (n) — tourte; pâté en croute

- it's pie in the sky — ce sont des promesses en l'air

(F) pie = (E) magpie

PIED (adj) — bigarré, bariolé, panaché

PIER (n) — jetée; appontement, brise-lames, estacade; pilier de maçonnerie, colonne

PIGHEADED (adj) — entêté, obstiné, têtu

PIGEON (n) — pigeon; affaire

- that's not my pigeon — ça n'est pas mes oignons

PIGEONHOLE (n) — pigeonnier; case, casier

PIGEONHOLE (v) — classer, ranger (des documents)

- to pigeonhole a bill — (US) enterrer un projet de loi

PIKE (n) — pique; brochet

PILE (n) — pieu, pilotis; pile, tas; (familier) fortune; poil; édifice; (au pluriel) hémorroïdes

- pile fabrics — tissus peluchés
- he made a pile on this deal — il a ramassé un joli paquet avec cette affaire

(F) pile (électrique) = (E) battery

PILL (n) — pilule

- she is on the pill — elle prend la pilule
- to sugar the pill — dorer la pilule

PIN (n) — épingle; fiche électrique; (technique) goupille; (familier) quille, guibolle

- he's not very steady on his pins — il a les guibolles en coton

PINE (n) — pin

PINEAPPLE (n) — ananas
(F) pomme de pin = (E) pine / fir cone

PINION (n) — bout d'aile; aileron; (technique) pignon
(F) pignon (architecture) = (E) gable

PIP (n) — pépin; pépie; top (horaire); (carte) point; (armée) galon; (radar) spot
- he gives me the pip — il me hérisse le poil
- he's just got his third pip — (familier) il vient de recevoir sa troisième ficelle

PIPE (n) — tuyau; conduit; flûte, pipeau; chalumeau; chant d'oiseau; pipe; (souvent au pluriel) abbréviation de **BAGPIPE(S)** = cornemuse

PIPE (v) — canaliser; acheminer par un tuyau; jouer un air (sur un instrument à vent)
- to pipe all hands on deck — rassembler tout l'équipage sur le pont (au son du sifflet)

PIPER (n) — cornemuseur; joueur de pipeau

PIQUE (n) — ressentiment; dépit
(F) pique = (E) (object) pike, (sens figuré) cutting remark, (cartes) spade

PIQUE (v) — dépiter; irriter; piquer (la curiosité)
- piqued by her indifference — irrité de son indifférence
(F) piquer = (E) to sting, to prick

PITTANCE (n) — somme dérisoire; maigre salaire
- they are offering a mere pittance — ils offrent un salaire de misère
(F) pitance = (E) sustenance

PITY (n) — pitié, compassion
- what a pity! — que c'est dommage !

PLACARD (n) — écriteau; affiche, pancarte, placard (publicitaire)
(F) un cadavre dans le placard = (E) a skeleton in the cupboard

PLACE (n)	endroit, lieu, localité; place, rang
– to go places	– sortir; réussir, percer
– we had breakfast at his place	– nous avons déjeûné chez lui
– in the first place	– en premier lieu
– some place	– (US) quelque part
	(F) à votre place = (E) if I were you
PLACE (v)	placer, mettre; situer; classer; investir; se rappeler
– to place an order	– passer commande
– to be awkwardly placed	– se trouver dans une situation gênante
– I can't place him	– je ne le remets pas
PLACER (n)	(US) sable ou gravier aurifère
PLAIN (adj)	clair, évident; simple; franc; qui manque de beauté
– to be plain with you	– pour parler franchement
– a plain case of jealousy	– un cas manifeste de jalousie
– it's plain madness	– c'est pure folie
PLAN (v)	avoir l'intention de
PLANE (n)	avion; rabot; platane; plan, niveau
PLANT (n)	plante; matériel, biens d'équipement; appareils, installations (à usage industriel); usine, fabrique; coup monté; agent infiltré
– plant-hire firm	– entreprise de location de matériel
– a water-softening plant	– une installation pour adoucir l'eau
PLANT (v)	planter; établir, installer; cacher qch sur qn pour le faire incriminer; monter un coup
– bombs planted in the railway station	– des bombes dissimulées dans la gare
– these drugs must have been planted on him	– on a dû lui faire transporter de la drogue à son insu
PLATE (n)	assiette; plaque; feuille (de métal); tôle; (sports) coupe; (religion) plateau de quête
– dental plate	– dentier
– it's not silver, it's only plate	– ce n'est pas de l'argent massif, ce n'est que du plaqué
	(F) plat = (E) dish

PLATFORM (n)	quai (de gare); estrade; plateforme (de bus, de forage pour le pétrole ou électorale)
– platform soles	– chaussures à semelles compensées
PLEBE (n)	(US) élève de première année à l'école militaire
	(F) plèbe = (E) (histoire) the plebeians; (péjoratif) plebs, proles
PLIANT (adj)	docile; souple, malléable
	(F) pliant = (E) folding, collapsible
PLOT (n)	(lot de) terrain, lotissement, terrain à bâtir; intrigue, complot, conspiration
– the vegetable plot	– le coin des légumes
– the plot thickens	– l'histoire se corse
	(F) plot (en électricité) = (E) contact
PLOT (v)	tracer, relever; conspirer, comploter
– to plot one's position on the map	– pointer la carte
PLOTTER (n)	conspirateur; (informatique) traceur de courbes
PLUM (n)	prune; prunier; filon, planque; morceau de choix
– she landed a plum job at the United Nations	– elle a décroché un boulot en or aux Nations Unies
PLUME (n)	plume; plumet; panache
– in borrowed plumes	– paré des plumes du paon
– a plume of smoke	– un panache de fumée
PLUME (v)	lisser (des plumes)
PLUME oneself on (v)	se targuer de
	(F) plumer = (E) (volaille) to pluck, (sens figuré) to fleece
PLUMMET (n)	plomb (de fil à plomb)
	(F) plumet = (E) plume
PLY (n)	feuille; épaisseur
– two-ply tissues	– mouchoirs en papier double épaisseur
– plywood	– contreplaqué
	(F) pli = (E) fold

PLY (v)	manier; jouer habilement; presser de questions; faire la navette
– to ply a trade	– exercer un métier
– he plies me for information	– il me demande continuellement des renseignements
– he plied us with drink	– il ne cessait de remplir nos verres
	(F) plier = (E) to fold
POCKETBOOK (n)	portefeuille; calepin, petit carnet; (US) livre de poche
	(F) livre de poche = (E) (GB) paperback
POINT (n)	pointe; point; sujet, question; but
– decimal point	– virgule (dans des nombres)
– what's the point ?	– à quoi bon ?
– you have a point	– il y a du vrai dans ce que vous dites
– I see no point in	– je ne vois pas l'intérêt de
– he gave me a few points on what to do	– il m'a donné quelques tuyaux sur ce que je devais faire
POINT (v)	pointer, diriger, braquer; montrer du doigt; indiquer; tailler en pointe; aiguiser; (mur) jointoyer
– everything points that way	– tout nous amène à cette conclusion
POINTER (n)	baguette; (balance) aiguille; indice, conseil; chien d'arrêt
– his remarks are a possible pointer to a solution	– ses remarques pourraient bien laisser entrevoir une solution
POISE (n)	équilibre, aplomb; sang-froid; assurance
	(F) poisse = (E) rotten luck
POLE (n)	perche; mât; hampe; poteau; pôle
– barber's pole	– enseigne de coiffeur
– curtain pole	– tringle
– to be up the pole	– (familier) se gourer, dérailler
– they are poles apart	– ils sont aux antipodes l'un de l'autre
POLICY (n)	politique, ligne de conduite; police (d'assurances)
– policy maker	– (firme) décideur; (parti) responsable politique
– public policy	– l'intérêt public
– our policy is to satisfy our customers	– notre seul but est de satisfaire notre clientèle
in **POLITE society**	dans la bonne société

POLITIC (adj)	avisé, habile, astucieux
– it would be politic to agree with him	– il serait de bonne guerre de se mettre d'accord avec lui
	(F) politique (adj) = (E) political
	(F) politique (n) = (E) politics, policy
POLL (n)	vote, scrutin, élection(s); sondage
– to go to the polls	– se rendre aux urnes
– poll taker	– (US) sondeur
PONDER (v)	considérer, peser le pour et le contre, réfléchir, méditer; ruminer
	(F) pondre = (E) to lay, to produce
POOL (n)	flaque; mare; étang; piscine; cagnotte; fonds communs; consortium bancaire; communauté; pool; (escrime) poule
– the gene pool	– le patrimoine héréditaire
– a pool of vehicles	– un parc de voitures
– the football pools	– les pronostics de football
POPULAR (adj)	populaire; courant; accessible à ou compréhensible pour tous
– popular book	– ouvrage de vulgarisation
– popular error	– erreur courante
– popular paper	– journal à grand tirage
– by popular request	– à la demande générale
– he is popular with the girls	– il a du succès auprès des filles
PORT (n)	port; hublot; bâbord; porto
PORT the helm (v)	mettre la barre à bâbord
PORTER (v)	porteur; employé des wagons-lits; concierge; (hôtel, bâtiment public) portier
PORTION (n)	portion; part, partie, lot; ration; dot; rame de wagons; sort, destin
– sorrow has always been her portion	– le chagrin fait depuis toujours partie de son lot quotidien
PORTMANTEAU (n)	grosse valise
– portmanteau word	– mot-valise, mot issu de la contraction de deux autres (exemples: brunch > breakfast

	+ lunch; Chunnel > Channel + tunnel; smog > smoke + fog)
	(F) portemanteau = (E) coat-rack
POSER (n)	question embarrassante, colle, casse-tête
	(F) poseur = (E) show-off
POSITIVE (adj)	positif; affirmatif; sûr, certain; indéniable
– positive order	– ordre formel
– I'm quite positive on this point	– je n'ai pas le moindre doute à ce sujet
– he's a positive fool	– c'est un idiot fini
– in a positive tone of voice	– d'un ton assuré
POST (n)	poteau (de départ ou d'arrivée); pieu; *le* ou *la* poste; (armée) retraite au clairon
– to take up one's post	– entrer en fonctions
– by return of post	– par retour du courrier
– last post	– sonnerie aux morts
– to be left at the post	– (sens figuré) manquer le départ, rester sur la touche
POST (v)	afficher, placarder; annoncer; poster (courrier ou sentinelle); affecter, nommer à un poste
– to post an entry to the ledger	– passer une écriture dans le registre
POSTURE (n)	posture; position; attitude
– his posture is bad	– il se tient très mal
POT (n)	pot; chope; marmite; bedaine; personne importante
– a big pot	– (sens figuré) une huile
– to go to pot	– se laisser aller
POTENCY (n)	puissance, force; efficacité; virilité; forte teneur en alcool
	(F) potence = (E) gallows
POTTER (v)	mener une vie tranquille; bricoler
PRACTICAL joke	mauvaise plaisanterie, farce
PRACTICAL nurse	(US) infirmier(e) auxiliaire
PRAIRIE (n)	plaine herbeuse; (US) la Prairie
– the Prairie State	– (US) l'Illinois
	(F) prairie = (E) meadow

PREFER (v)	préférer; intenter (une action), formuler (une requête); donner de l'avancement, (Eglise) élever à
– to prefer a complaint against sb	– porter plainte contre qn
PREGNANT (adj)	enceinte; pleine; rempli de
– sentence pregnant with meaning	– phrase pleine de sens
– events pregnant with consequences	– des événements lourds de conséquences
	(F) prenant = (E) absorbing
PREJUDICE (n)	préjugé, idée préconçue; prévention; préjudice
– he is quite without prejudice in this matter	– il est sans parti pris dans cette affaire
be PREJUDICED against (v)	avoir des préjugés contre
PREMISE (n)	(philosophie, logique) prémisse; (au pluriel) locaux, lieux
– on the premise that	– en partant du principe que
– on the premises	– sur place
– to get off the premises	– vider les lieux
PRESENT (v)	offrir, faire cadeau, faire don de; présenter
PRESENTMENT (n)	présentation
PRESERVATIVE (n)	agent de conservation
	(F) préservatif = (E) condom, sheath
PRESERVE (n)	(chasse, etc...) réserve; (au pluriel) confiture; conserves
– game preserve	– chasse gardée
– to trespass on sb's preserves	– marcher sur les plates-bandes de qn
PRESUME (v)	présumer; supposer; se permettre, prendre la liberté de; se montrer présomptueux
– may I presume to advise you ?	– puis-je me permettre de vous conseiller ?
– to presume on sb's friendship	– abuser de l'amitié de qn

PRETEND (v) — feindre, simuler, faire semblant, jouer la comédie; (rare) prétendre

- they pretended not to see us — ils ont fait semblant de ne pas nous voir
- let's not pretend to each other — soyons francs l'un avec l'autre

(F) prétendre = (E) to claim, to assert, to maintain

PREVALENCE (n) — fréquence; prédominance

PREVARICATE (v) — biaiser; tergiverser; altérer la vérité; user de faux-fuyants

(F) prévariquer = (E) to be guilty of corrupt practices

PREVARICATION (n) — équivoque; tergiversation; mensonge; faux - fuyants

(F) prévarication = (E) corrupt practices

PREVENT (v) — empêcher, faire obstacle à; éviter, parer à; (rare) prévenir

(F) prévenir (avertir) = (E) to warn

PRIME (adj) — premier; principal; de premier ordre

- in prime condition — en parfaite condition
- prime time — (radio/TV) heures d'écoute maximales

PRIME (n) — perfection; premiers jours, début; (religion) service matinal

- in the prime of life — dans la force de l'âge
- to be past one's prime — être sur le retour
- when the Renaissance was in its prime — quand la Renaissance était à son apogée
- the prime of the year — les premiers jours du printemps

(F) prime = (E) premium

PRIME (v) — amorcer (pompe, moteur); mettre au fait, affranchir; bourrer (d'alcool)

- he was primed to say that — ils lui ont fait la leçon pour qu'il dise cela

(F) primer = (E) to award a prize to; to take first place

PRIMER (n) — premier livre, premier cours de; (peinture d') apprêt

PRIMROSE (n) — primevère

- the primrose path — le chemin de la facilité

PRINCE (n)	prince; (US) chic type
PRISE (v)	forcer une boîte
– to prise a secret out of sb	– arracher un secret à qn
	(F) priser = (E) to prize, to value, to appreciate, (tabac) to take snuff
PRIVATE (n)	(simple) soldat; (au pluriel) les parties génitales
PRO (n) :	
– abréviation de	**PROFESSIONAL**
– abréviation de	**PROSTITUTE**
– the pros and the cons	– le pour et le contre
PROBE (n)	(coup de) sonde; enquête, investigation
– Venus probe	– sonde spatiale à destination de Vénus
PROBE (v)	sonder; explorer; fouiller
– the police should have probed more deeply	– la police aurait dû pousser plus loin son enquête
PROBLEM play	(théâtre) pièce à thèse
PROCEED (v)	aller, avancer, circuler; continuer, poursuivre (son chemin); provenir de; (droit) engager des poursuites, procéder
– things are proceeding as usual	– les choses suivent leur cours
– to proceed to violence	– recourir à la violence
– they then proceeded to London	– ils se sont ensuite rendus à Londres
PROCEEDING (n)	procédé, façon d'agir; (pluriel) débats, délibérations, séance, cérémonie; (droit) mesures
– to take (legal) proceedings against sb	– intenter un procès à qn
PROCEEDS (n pl)	montant des recettes, somme recueillie
– proceeds of insurance	– indemnité versée par la compagnie d'assurance
PROCESS (n)	processus; méthode, procédé; (droit) citation; (biologie) excroissance
– in process of cleaning the picture they discovered ...	– au cours du nettoyage du tableau ils ont découvert ...
	(F) procès (tribunal) = (E) trial

PROCESS (v)	traiter
– processing	– traitement; transformation; développement
PROCURER (n)	(droit) entremetteur; proxénète
PROCURESS (n)	(droit) entremetteuse; proxénète
	(F) procureur = (E) prosecutor
PROFANER (n)	profanateur; violateur
PROFESSIONAL (n)	membre des professions libérales
PROFFER (v)	offrir, présenter
– to proffer one's hand to sb	– tendre la main à qn
	(F) proférer = (E) to utter
PROFIT (n)	profit; bénéfice
– profit-sharing scheme	– système de participation aux bénéfices
– profit squeeze	– compression des bénéfices
PROGRESS (n)	progrès; marche, avancement
– the progress of events	– le cours des événements
– please do not enter the classroom while a lesson is in progress	– prière de ne pas entrer quand il y a cours
PROMENADE (n)	promenade; front de mer, esplanade; (théâtre) promenoir; (US) bal d'étudiants
– Promenade Concerts	– (GB) série annuelle de concerts où, à l'origine, une partie de l'assistance restait debout
PROMENADER (n)	(GB) spectateur à un Promenade Concert
PROMISCUOUS (adj)	confus, mêlé; (conduite) léger, immoral; sans distinction
– promiscuous crowd	– foule hétérogène
– she is completely promiscuous	– elle couche avec n'importe qui
PROMPT (adj)	prompt, rapide; ponctuel; immédiat
– the performance will begin at 7 prompt	– la représentation débutera à 7 heures précises
– prompt payment of bills is greatly appreciated	– nous apprécions beaucoup que les factures soient réglées au grand comptant

PROMPT (n)	suggestion, tuyau; (théâtre) fait de souffler la réplique
– prompt box	– trou du souffleur
– prompt side	– (GB) côté cour, (US) côté jardin
PROMPT (v)	provoquer, inciter à l'action; (théâtre) souffler
– it prompts the thought that ...	– cela incite à penser que ...
– a feeling of regret prompted by the sight of...	– un sentiment de regret déclenché à la vue de ...
PROMPTER (n)	(théâtre) souffleur
PRONE (adj)	couché sur le ventre; enclin à
– they stepped over his prone body	– ils ont marché sur son corps étendu
– accident-prone	– prédisposé aux accidents
– strike-prone industries	– industries où la fréquence des grèves est particulièrement élevée, industries "grévicultrices"
PROP (n)	appui, support, soutien; appui (moral); (plante) tuteur; (au rugby) pilier; abréviation de **PROPELLER** = hélice
– one of the props of society	– un des piliers de la société
– the roof of the tunnel was supported by props	– le toit du tunnel était étançonné
PROPER (adj)	approprié, adéquat; convenable; véritable, authentique; total
– the proper word	– le mot juste
– a very proper old lady	– une vieille dame très comme il faut
– you must go through the proper channels	– vous devez passer par la filière officielle
– he is not a proper electrician	– il n'est pas vraiment électricien
– he was properly drunk	– il était tout à fait soûl
	(F) propre = (E) (contraire de sale) clean; (en propriété) own
PROPOSE (v)	proposer; suggérer; demander la main de qn
– to propose sb's health	– porter un toast à la santé de qn
PROPOSITION (n)	proposition; affaire, entreprise; avances, propositions malhonnêtes
– it's a big proposition	– ce n'est pas une mince affaire
– he's a tough proposition !	– il n'est pas commode !

PROPOSITION (v) — faire des propositions malhonnêtes

PROPRIETARY (adj) — de propriétaire; de propriété
- proprietary article — produit breveté
- proprietary hospital — (US) hôpital privé
- proprietary medicines — spécialités pharmaceutiques
- proprietary name — marque déposée

PROPRIETY (n) — décence, bienséance; justesse, rectitude; à -propos; (souvent au pluriel) convenances
- breach of propriety — manque de savoir-vivre
- I question the propriety of such a request — je mets en doute l'opportunité d'une telle demande
- to throw proprieties to the wind — se moquer de toutes les convenances

(F) propriété = (E) ownership, property

PROSECUTE (v) — engager des poursuites judiciaires; poursuivre (guerre, recherches, etc ...)
- he was prosecuted for speeding — il a été poursuivi pour excès de vitesse

PROSECUTION (n) — accusation; poursuites judiciaires; action publique; partie plaignante, ministère public
- you are liable to prosecution — vous pouvez être poursuivi
- witness for the prosecution — témoin à charge

PROSPECT (n) — perspective(s); espoir; possibilité(s); acquéreur éventuel; parti (en vue d'un mariage)
- prospect-glass — lunette d'approche
- future prospects — perspectives d'avenir
- he has nothing in prospect — il n'a rien en vue

PROSPECTIVE (adj) — à venir, futur; éventuel, possible
- my prospective bride — ma future épouse
- a prospective buyer for the house — un acheteur éventuel pour la maison

PROVE (v) — prouver, démontrer; éprouver, mettre à l'épreuve; se révéler, s'avérer; (en cuisine) laisser lever
- it proved false — cela s'est avéré faux
- if it proves otherwise — s'il en est autrement
- verdict of not proven — (droit écossais) non lieu

PROVIDENCE (n) — providence; prévoyance; prudence

PROVINCE (n)	province; (sens figuré) domaine; (religion) archevêché
– sales forecasts are outside my province	– les prévisions de ventes ne sont pas de mon ressort
PROVISION (n)	provision; fourniture, approvisionnement; (droit) disposition, article, clause, stipulation; (fonds) financement
– provision merchant	– épicier
– there is no provision to the contrary	– il n'y a pas de clause contraire
– it falls within the provisions of that law	– cela tombe sous le coup de cette loi
– according to the provisions of the treaty	– selon les dispositions du traité
PROVOKING (adj)	contrariant, irritant, agaçant, exaspérant
– thought-provoking	– qui pousse à la réflexion
	(F) provocant = (E) provocative
PRUNE (n)	pruneau; (personne) repoussoir
– prunes and prisms	– (sens figuré) préciosité
	(F) prune = (E) plum
PRUNE (v)	tailler, élaguer
PRUNE DOWN (v)	faire des coupures
– you should prune the speech down	– il faudrait faire des coupes sombres dans ce discours
PRY (v)	fureter, fouiller, chercher à savoir; (US) déplacer à l'aide d'un levier
– stop prying	– occupez vous de ce qui vous regarde
	(F) prier = (E) to pray
PUB (LIC house)	bistrot, café
	(F) pub = (E) ad, advert
PUBLIC school	(GB) école privée d'enseignement secondaire; (US) école publique
PUBLICAN (n)	patron ou tenancier de bistrot
PUBLICIST (n)	expert en droit public international; journaliste, agent de publicité

PUCE (adj)	violet-brun
PUDDING (n)	pudding; boudin; dessert; (personne, sens) patapouf
– what's for pudding ?	– qu'y a-t-il comme dessert ?
– pudding face	– (familier) tête de lard
PULL (n)	traction; tirage; effort; gorgée; (typographie) épreuve
– he took a long pull at his pipe	– il a tiré longuement sur sa pipe
– to have a pull with sb	– avoir du piston auprès de qn
– pull-in	– (GB) parking, café au bord de la route, routier
– pull-off	– (US) parking
	(F) pull = (E) pullover
PULPIT (n)	chaire
PUNCH (n)	coup de poing; punch, force, énergie; poinçon, poinçonneuse; perforateur, perforatrice; (avec majuscule) Polichinelle
– punch(ed) card	– carte perforée
– punch-up	– (GB) bagarre
PUNY (adj)	chétif, malingre, frêle
PUPIL (n)	élève; *la* pupille
– a pupil teacher	– un professeur stagiaire
	(F) *le* pupille = (E) ward
PURCHASE (v)	acheter, faire des achats
– purchasing power	– pouvoir d'achat
	(F) pourchasser = (E) to pursue, to hunt out
PURCHASER (n)	acheteur, acquéreur
PURSUE (v)	poursuivre; suivre
– to pursue a profession	– exercer une profession
PURSUIT (n)	poursuite; occupation, travail; recherche; carrière, profession
– pursuit plane	– avion de chasse
– in pursuit of happiness	– en quête du bonheur
– his literary pursuits	– ses travaux littéraires

QUACK (n)	charlatan (F) couac = (E) false note
QUADRANGLE (n)	quadrilatère; cour d'école
QUALIFICATION (n)	compétence, capacité; titre (diplôme); réserve, restriction; qualification
– to accept without qualifications	– accepter sans réserves
– to have the necessary qualifications	– avoir les titres requis
QUALIFIED (adj)	compétent, qualifié; modéré, mitigé; restreint
– qualified approval	– approbation modérée, accueil réservé
– qualified success	– demi-réussite
– this statement needs to be qualified	– cette affirmation doit être nuancée
QUALIFIER (n)	qualificatif
QUART (n)	quart de gallon (GB: 1,136 litre; US: O,946 litre)
– it's like trying to put a quart into a pint pot	– c'est tenter l'impossible (F) quart = (E) quarter
QUARTER (n)	quart; quartier; trimestre; (US & Canada) quart de dollar (au pluriel) résidence, cantonnement; direction, point cardinal
– quarter day	– (finance) terme
– in responsible quarters	– dans les milieux autorisés

QUARTER (v)
diviser en quatre; caserner, cantonner; quadriller (une ville par la police); écarteler (un corps)

QUARTERLY (n)
trimestriel

QUESTION (n)
question; sujet, affaire; (mise en) doute
- there is no question about it
- il n'y a pas de doute là-dessus
- questionmaster
- (radio & TV) meneur de jeu, animateur

QUESTION (v)
questionner; mettre en doute, douter de
- I would never question his qualifications
- je ne mettrais jamais ses capacités en doute

QUESTIONABLE (adj)
contestable, discutable; problématique; équivoque
- questionable taste
- goût douteux
- highly questionable behaviour in money matters
- comportement extrêmement douteux en affaires

QUESTIONER (n)
interpellateur

QUID (n)
chique (de tabac); (argot) livre sterling
- she earns at least 500 quid a week
- elle gagne au moins 2000 sacs par mois

QUID PRO QUO
équivalent; compensation
- to return a quid pro quo
- rendre la pareille
- as a quid pro quo for
- en échange de

(F) quiproquo = (E) mistake, misunderstanding; (théâtre) case of mistaken identity

QUIET (adj)
tranquille, calme, silencieux; simple, discret, sobre
- quiet wedding
- mariage célébré dans l'intimité
- on the quiet
- en cachette, à la dérobée

(F) quiet = (E) calm, tranquil

QUILL (n)
penne; tuyau (de plume d'oiseau); piquant (de porc-épic)

(F) quille = (E) skittle

QUINCE (n)
coing

QUIT (v) — quitter; lâcher, abandonner, se rendre (au jeu); renoncer; (vieilli) démissionner

- he quits too easily — il se laisse trop facilement décourager
- quit fooling! — arrête de faire l'idiot!

QUITTER (n) — lâcheur, dégonflé

QUOTATION (n) — citation; devis estimatif; (bourse) cotation

- quotation marks — guillemets
- a quotation for mending the roof — un devis pour la réparation de la toiture

QUOTE (v) — citer, rapporter les paroles de; rappeler; établir (le prix)

- when ordering please quote this number — prière de rappeler ce numéro lors de toute commande

RABBLE (n)	cohue, foule (en désordre); (péjoratif) populace
– rabble-rouser	– agitateur
	(F) râble = (E) back, saddle
RACE (n)	course; courant fort, (en mer) raz; race; (sens figuré) cours
– arms race	– course aux armements
– long-distance race	– course de fond
– race-meeting	– les courses
RACE (v)	faire une course; faire courir, lancer à fond
– to race the engine	– emballer le moteur
– the holidays raced by	– les vacances ont filé
RACKET (n)	raquette; racket, escroquerie, gang; tapage, vacarme
– to be in on the racket	– être dans le coup
– to make a racket	– faire du boucan
– to stand the racket	– payer les pots cassés
RADIANCE , RADIANCY (n)	éclat, rayonnement, splendeur
RADIANT (adj)	radieux, rayonnant, éclatant; (physique) radiant
RADIATION (n)	irradiation; rayonnement; (physique) radiation
	(F) radiation (d 'un club) = (E) crossing, striking off
RAFFLE (n)	tombola, loterie
	(F) rafle (police) = (E) roundup (of suspects)

RAFFLE (v)	mettre en loterie
RAGE (n)	rage, fureur; dernière mode
– fit of rage	– accès de fureur
– dresses like this used to be all the rage	– ce genre de robes faisait fureur
RAID (n)	(armée) raid; (police) rafle, razzia
– air raid	– bombardement aérien
– police raid	– descente de police
RAID (v)	faire une incursion, un raid, une descente; marauder; dévaliser
RAIDER (n)	pillard, malfaiteur, brigand; (bourse) raider; (armée) bombardier
RAIL (n)	rail; barre, barreau; (pluriel) grille; balustrade, garde-fou, main courante
– the horse was close to the rail	– le cheval tenait la corde
– to go off the rails	– (train) dérailler; (personne) être déboussolé
RAIL (v)	fermer, entourer d'une clôture; invectiver, s'en prendre à
– to rail at / against sb	– se répandre en injures contre qn
	(F) railler = (E) to jeer at, to mock at, to scoff at
RAISIN (n)	raisin sec
	(F) raisin = (E) grape(s)
RALLY (n)	rassemblement, ralliement, meeting; (bourse) reprise; (santé) amélioration; (voiture) rallye
RALLY (v)	(se) rallier; battre le rappel de; (santé) se remettre; taquiner, se moquer gentiment
– prices on the stock market rallied	– les actions ont amorcé une reprise
RAM (n)	bélier (également en astronomie); pompe hydraulique
RAM (v)	enfoncer; tasser, (voiture) emboutir; (bateau) heurter de l'avant
– to ram sth down sb's throat	– rebattre les oreilles de qn de qch

RAMP (n)	rampe; casse-vitesse; supercherie, coup monté, escroquerie
– boarding ramp	– passerelle
– it's a ramp!	– c'est du vol!
– the furnished flat ramp	– le scandale des loyers des meublés
RAMP (v)	crier comme un énergumène
	(F) ramper = (E) to crawl, to creep
RAMPANT (adj)	exubérant, luxuriant; effréné
– vice was rampant	– le vice s'étalait
	(F) rampant = (E) crawling, creeping
	(F) personnel rampant = (E) ground crew / staff
RANGE (n)	rangée; portée, rayon d'action, étendue; écarts, variations; domaine; (animal, plante) habitat; (US) grand pâturage
– range of action	– champ d'action
– within my range	– à ma portée
– rangefinder	– télémètre
– a range of goods	– une gamme de produits
– in range with	– dans l'alignement
RANGE (v)	ranger, disposer en ligne; parcourir; s'étendre de ... à ...; avoir une portée de; errer
– temperatures ranging from ten to thirty degrees	– températures comprises entre dix et trente degrés
RANGER (n)	(GB) garde-forestier; (US) gendarme à cheval
– Ranger Guide	– (scoutisme) guide aînée
RANK AND FILE	les hommes de troupe; (sens figuré) la masse, le peuple
– the rank and file of the party	– la base du parti
RAP (n)	petits coups secs; tape; inculpation; causette
– I don't care a rap	– je m'en fiche éperdument
– to take the rap	– devoir payer les pots cassés
– to beat the rap	– échapper à une condamnation
– rap sheet	– casier judiciaire
– rap session	– (US) discussion à bâtons rompus
RAP (v)	frapper bruyamment; donner un coup sec; tailler une bavette

– to rap out	– dire brusquement
– to rap sb over the knuckles	– (sens figuré) taper sur les doigts de qn
RAPE (n)	viol; colza; marc de raisin
	(F) râpe = (E) grater
RAPE (v)	violer
	(F) râper = (E) to grate
RAPT (adj)	profond, intense; ravi
– rapt in thought	– plongé dans ses pensées
	(F) rapt = (E) abduction
RAPTURE (n)	ravissement, enchantement, extase
– to go into raptures over sb / sth	– s'extasier sur qn / qch
RAT (v)	chasser les rats
– to go ratting	– faire la chasse aux rats
RAT on (v)	lâcher, moucharder, donner
– to rat on a friend	– vendre un ami
RATABLE (adj)	voir **RATEABLE** (adj)
RATE (n)	taux; proportion; allure
– birth rate	– taux de natalité
– first rate	– excellent
– insurance rate	– prime d'assurance
– postage rates	– tarifs postaux
– water rate	– prix de l'abonnement d'eau
– rates and taxes	– impôts et contributions
– rate rebate	– dégrèvement
– at the rate of ...	– à la vitesse de ...
RATE (v)	estimer, évaluer; (se) classer; mériter
– house rated at £ 550 per annum	– maison dont la valeur locative est estimée à 550 livres par an
– he rates a pass	– il mérite la moyenne
RATEABLE (adj)	imposable
– rateable value	– revenu cadastral, loyer matriciel
RATIONAL (adj)	doué de raison, sensé, raisonnable; rationnel
– he is quite rational	– il a toute sa tête

RATIONALE (n)	raisonnement; exposé raisonné
RAY (n)	rayon: raie (poisson); (note) ré
– a ray of hope	– une lueur d'espoir
RAYON (n)	rayonne, soie artificielle
	(F) rayon = (E) (faisceau) ray, (math) radius, (roue) spoke, (bibliothèque) shelf, (commerce) department, (périmètre) radius
REAL (adj)	vrai, réel, véritable, naturel
– real estate/property	– biens immobiliers
– real estate register	– cadastre
– real-time processing	– (informatique) traitement immédiat
– we had really a good laugh	– on a vachement rigolé
– not really!	– pas possible!
REALIZATION (n)	réalisation; prise de conscience; conversion en espèces
– the sudden realization that ...	– la découverte soudaine que ...
– the realization of the house	– la vente de la maison
	(F) réalisation (matérielle) = (E) achievement
REALIZE (v)	se rendre compte de, prendre conscience de, réaliser
	(F) réaliser qch = (E) to achieve sth
REALTY (n)	biens immobiliers; immeubles
	(F) réalité = (E) reality
REAPPOINT (v)	renommer
REAPPORTION (v)	réassigner, répartir à nouveau; (US, politique) procéder à ou subir un redécoupage électoral
REBUT (v)	réfuter
	(F) rebuter = (E) to discourage, to repel
RECAPTURE (v)	reprendre, rattraper, retrouver; retrouver une certaine atmosphère, recréer
– a book that recaptures perfectly the flavour of the period	– un livre qui nous replonge tout à fait dans l'atmosphère de l'époque

RECEIPT (n)	réception; reçu, quittance; recette(s) d'argent; (archaïque) recette culinaire
– to acknowledge receipt of	– accuser réception de
– receipt book	– carnet de quittances
	(F) recette (de cuisine) = (E) recipe
RECEIPT a bill (v)	acquitter une facture
RECENSION (n)	révision; texte révisé
RECESS (n)	vacances judiciaires ou parlementaires; (US) suspension d'audience; (US) récréation; recoin, niche, renfoncement
– in the recesses of his mind	– dans les recoins de son esprit
RECIPIENT (n)	destinataire; bénéficiaire
	(F) récipient = (E) container
RECITAL (n)	récit, compte rendu, narration; énumération; exposé; récitation; récital; (droit, au pluriel) préambule
RECITE (n)	réciter; énumérer; exposer (des faits)
RECKON (v)	compter, calculer; (US) considérer, estimer
– I reckon we can start	– je crois qu'on peut y aller
	(F) reconnaître = (E) to recognize; to acknowledge
beyond RECLAIM	perdu à tout jamais
RECLAIM (v)	défricher; assécher; réformer, corriger, amender; (rare) réclamer
– to reclaim from vice	– tirer du vice
	(F) réclamer = (E) to ask for, to claim, to complaint
RECLAMATION (n)	défrichement; assèchement; amendement; (rare) réclamation
	(F) réclamation = (E) complaint
RECOLLECT (v)	se rappeler, se souvenir de
RECOLLECT oneself (v)	se recueillir; rassembler ses forces
RECOLLECTION (n)	souvenir; mémoire
– I have some recollection of it	– j'en ai un vague souvenir

RECOMPENSE (n) récompense; (droit) compensation, dédommagement
- as a recompense for his trouble – pour prix de sa peine

RECONCILABLE (adj) conciliable; compatible, en accord avec

RECONCILE (v) réconcilier; arranger; concilier; accorder
- the figures reconcile with those shown on page 44 – les chiffres concordent avec ceux de la page 44

RECORD (n) rapport, récit; minute, procès-verbal; enregistrement; note, mention, (à l'école) bulletin; registre; document; dossier (personnel); disque; (sport) record
- public records – archives, annales
- off the record – entre nous; officieusement
- service record – états de service
- record of evidence – procès-verbal de témoignage
- to have a clean record – avoir un casier judiciaire vierge
- his past record – sa conduite passée

RECORD (v) enregistrer; prendre acte de, consigner; relater, rapporter
- to record the population – recenser la population

RECOUP (v) dédommager; récupérer
- to recoup one's losses – se dédommager de ses pertes

RECOVER (v) retrouver, récupérer, regagner, recouvrer; se rétablir, se remettre, guérir; (droit) obtenir gain de cause
- to recover one's breath – reprendre haleine
- to recover consciousness – revenir à soi
- to recover oneself – se ressaisir
- right to recover – droit de réponse

RECOVERY (n) récupération, recouvrement, reconquête; rétablissement; redressement, reprise (économique)
- past recovery – dans un état désespéré
- space recovery operation – opération de récupération d'un vaisseau spatial

RECREANT (n) lâche, traître; félon

RECTIFIER (n) rectificateur; (électricité) redresseur

RECTOR (n)	pasteur anglican; (en Ecosse) chef d'établissement d'enseignement secondaire
RECTORY (n)	presbytère (anglican)
REDEMPTION (n)	rachat; remboursement; amortissement; (religion) rédemption
– redemption fund	– caisse d'amortissement
– beyond redemption	– irrémédiablement
REDUNDANCE, REDUNDANCY (n)	licenciement; surabondance; surplus, excédent: (littéraire) redondance, pléonasme
– he went in the last round of redundancies	– il a perdu son emploi lors de la dernière série de licenciements
– redundancy payment	– indemnité de licenciement
REDUNDANT (adj)	superflu; en surnombre; au chômage (technique); (style) redondant
– he found himself redundant	– il s'est retrouvé au chômage
REEL (n)	bobine; (danse écossaise) quadrille; (technique) dévidoir
– off the reel	– (US) d'une traite, d'affilée
REEL (v)	bobiner; tournoyer, chanceler, tituber
– I reeled at the very thought	– cette pensée m'a donné le vertige
REEVE (n)	premier magistrat; (Canada) président du conseil communal
REEVE (v)	(marine) passer un cordage dans un anneau ou une poulie
REFECTION (n)	collation, léger repas; rafraîchissements (F) réfection = (E) repairing
REFEREE (n)	arbitre (sport & sens figuré); répondant
– may I give your name as referee ?	– puis-je donner votre nom en référence ?
REFLECT (v)	(miroir) réfléchir; (image) refléter; (son) renvoyer; méditer

REFLECT on(v)	porter atteinte à
– the unemployment figures reflect badly on the government's policies	– le taux du chômage montre à quel point la politique gouvernementale est mauvaise
– their prompt action in the emergency reflected great credit on them	– leur intervention rapide lors de l'accident leur a valu une solide réputation
REFLECTION, REFLEXION (n)	reflet, image; réflexion, pensée, considération; critique
– a pale reflection of former glory	– un pâle reflet de la gloire passée
– on reflection	– toute réflexion faite
– this is a reflection on your honour	– c'est une atteinte à votre honneur
REFORM school	(US) maison de redressement
REFORMATORY (n)	maison de redressement; centre d'éducation surveillée
REFORMED (adj)	réformé; amendé
REFRAIN (v)	se retenir, s'abstenir
– please refrain from smoking	– ayez l'obligeance de ne pas fumer
	(F) réfréner = (E) to curb, to hold in check
REFRESH (v)	rafraîchir, revigorer, délasser, détendre; restaurer
REFRESHER (n)	boisson, rafraîchissement; (droit) honoraires supplémentaires
– refresher course	– cours de recyclage
REFRIGERANT (adj)	réfrigérant; fébrifuge
REFUND (v)	rembourser; (finance) ristourner
– to refund postage	– rembourser les frais de port
– to refund excess payments	– ristourner le trop-perçu
REFUSE (n)	ordures, détritus, déchets
– refuse bin	– poubelle
– refuse chute	– dépotoir; vide-ordures dans un immeuble
– refuse collection	– ramassage d'ordures
	(F) refus = (E) refusal

REGAIN (v)	regagner; reconquérir; recouvrer
– to regain consciousness	– revenir à soi
– to regain one's strength	– récupérer ses forces
REGAL (adj)	royal; majestueux
REGARD (n)	attention; considération, respect, estime; point de vue
– in this regard	– à cet égard
– out of regard for	– par égard pour
– with regard to	– en ce qui concerne
– regardless of	– sans tenir compte de
– my kind regards!	– mes amitiés; mes compliments!
	(F) regard = (E) look
REGARD (v)	considérer, observer; (littéraire) regarder
– to regard sb's advice	– tenir compte des conseils de qn
– as regards	– en ce qui concerne
	(F) regarder = (E) to look (at)
REGISTER (v)	enregistrer; déclarer; (voiture) immatriculer; (s')inscrire
– to register a birth	– déclarer une naissance
– by registered post	– par envoi recommandé
– it hasn't registered with him	– (familier) il n'a pas saisi
REGORGE (v)	vomir, régurgiter; refluer
	(F) regorger de = (E) to abound in, to overflow with
REGULAR (adj)	régulier; habituel; normal; vrai, véritable
– my regular doctor	– mon médecin traitant
– the regular staff	– le personnel en place
– he's a regular idiot	– c'est un imbécile fini
– regular soldier	– volontaire de carrière
– regular bowel movements	– selles régulières
REIN (n)	rêne (de cheval)
– to keep a rein on	– tenir en bride
	(F) rein = (E) kidney; loin
REJOIN (v)	(se) rejoindre; répliquer, répondre
RELAPSE (n)	rechute (en médecine & au sens figuré)

– relapse into crime	– récidive (F) relaps = (E) relapsed (heretic)
RELATE (v)	raconter, relater; avoir rapport
– related ideas	– idées connexes
– they are closely related	– ils sont proches parents
– to relate the cause to the effect	– établir un rapport de cause à effet
RELATION (n)	parent(s); famille par alliance; rapport; relation; récit
– what relation is she to you ?	– quel est son degré de parenté avec vous ?
RELENT (v)	s'adoucir; se laisser attendrir; revenir sur une décision
RELEVANCE, **RELEVANCY** (n)	pertinence; à-propos; rapport
– what is the relevance of your question to the problem ?	– quel est le rapport entre votre question et le problème ?
RELEVANT (adj)	qui est en rapport avec, pertinent, approprié
– that is not relevant	– cela n'a rien à voir
– the relevant documents	– les documents qui se rapportent à l'affaire
– all relevant information	– tous renseignements utiles
– the relevant year	– (droit & finance) l'année de référence
RELIABLE (adj)	sûr, sérieux, digne de confiance
– her memory is not very reliable	– on ne peut pas vraiment se fier à sa mémoire
RELIANCE (n)	confiance; dépendance, besoin
– to place reliance in sth/on sb	– avoir confiance en qch/qn
RELIANT (adj)	confiant; dépendant de; qui a besoin de
– self-reliant	– indépendant
RELIC (n)	relique; (au pluriel) vestiges, dépouille (mortelle)
RELICT (n)	(archaïque) veuve
RELIEF (n)	soulagement; secours, assistance, aide; redressement, réparation; (US) sécurité sociale; relève (de la garde); délivrance (d'une ville); dégrèvement fiscal; (géographie) relief

– relief fund	– caisse de secours
– relief-valve	– soupape de sécurité
– to be on relief, to get relief	– bénéficier d'aides sociales
– a relief mother of seven	– une mère de sept enfants vivant de la sécurité sociale
RELIEVE (v)	soulager; secourir, venir en aide; relayer, (garde) relever; faire lever le siège de
– he will relieve you at 7	– il te relayera à sept heures
– to relieve oneself	– faire ses besoins
RELINE (v)	mettre une nouvelle doublure à
– to reline the brakes	– changer les garnitures de freins
RELOCATE (v)	déménager; installer ailleurs
RELUCTANCE (n)	répugnance
– to do sth with reluctance	– faire qch à contre-coeur
– to make a show of reluctance	– faire des manières; se faire tirer l'oreille
RELUCTANT (adj)	peu disposé, peu enthousiaste, agissant à contre-coeur
– I feel reluctant to ...	– il me répugne de ...
– he paid up very reluctantly	– il s'est fait tirer l'oreille pour payer
RELY (v)	se fier à, compter sur
– I rely on him for my income	– je dépends de lui pour mes revenus
– to rely on sth	– (droit) invoquer qch
REMARK (v)	faire remarquer, faire observer; remarquer, observer; faire des remarques
– he remarked on it to me	– il m'en a fait l'observation
	(F) remarquer (= apercevoir) = (E) to notice
REMEDIAL (adj)	réparateur, curatif
– remedial measures	– mesures de redressement
– remedial course	– cours de rattrapage
– remedial exercises	– gymnastique corrective
REMISS (adj)	insouciant, négligent, nonchalant
REMIT (v)	pardonner; envoyer de l'argent; diminuer; (tempête) s'apaiser
– to remit sb's sentence	– faire bénéficier qn d'une remise de peine

REMITTANCE (n)	envoi, versement de fonds; remise (de documents)
– please enclose your remittance	– veuillez joindre votre paiement
REMITTEE (n)	destinataire d'un envoi de fonds; bénéficiaire (d'un paiement)
REMITTENT (adj)	(médecine) rémittent; (sens figuré) intermittent
RENDER (v)	rendre; (musique) interpréter; (construction) plâtrer
– rendered fat	– graisse fondue
RENT (n)	loyer; (vêtement) déchirure, accroc; (rocher) fissure; (sens figuré) rupture, scission
– evicted for non-payment of rent	– expulsé pour non-paiement de loyer
	(F) rente = (E) annuity; pension; allowance; private income
RENT (v)	louer; donner en location; affermer
– to take for rent	– prendre en location
– to rent out	– donner en location
– rent-a-crowd / rent-a-mob	– (spectacle) claque; agitateurs professionnels
RENTER (n)	loueur
	(F) rentier = (E) person of private means
REPAIR to (v)	se diriger vers
– we all repaired to a restaurant	– on a tous pris la direction du restaurant
REPEAL (n)	abrogation, annulation, révocation
REPEAL (v)	abroger; annuler; révoquer
REPEL (v)	repousser; inspirer de la répugnance
– a fabric that repels moisture	– un tissu imperméable
– she was repelled by the dirty room	– la saleté de la pièce lui a donné un haut-le-coeur
REPLACE (v)	replacer, remettre; remplacer
– we've replaced the old adding machine by a computer	– on a remplacé la vieille machine à calculer par un ordinateur
REPOINT (v)	rejointoyer

REPORT (n)	rapport, compte rendu; bulletin (de nouvelles); rumeur; réputation; (arme) détonation, explosion
– annual report	– rapport de gestion
– progress report	– état périodique
– policeman's report	– procès-verbal
– there are reports of rioting	– il y aurait eu des émeutes
– of good report	– de bonne réputation
– law reports	– recueil de jurisprudence
REPORT (v)	rapporter, rendre compte de; déclarer, signaler; faire le reportage de; (armée) se présenter, rallier une unité
– reported speech	– discours indirect
– to report sick	– se faire porter malade
– to report for duty	– (armée) prendre son service
	(F) reporter = (E) to take back, to put off, to transfer
REPOSE (n)	repos; sommeil; calme, tranquillité; paix
REPOSE (v)	reposer; placer sur; se reposer sur
– we don't repose much confidence in his judgment	– nous n'avons pas beaucoup confiance en son jugement
REPOSITORY (n)	dépôt; entrepôt; répertoire; dépositaire (d'un secret)
– furniture repository	– garde-meubles
– a repository of precious information	– une mine de renseignements précieux
REPREHEND (v)	réprimander, blâmer, condamner
REPREHENSION (n)	réprimande, blâme
REPRESENT (v)	représenter; dépeindre; décrire, exposer; interpréter (un rôle); faire remarquer, signaler
– he represented himself as an expert	– il s'est présenté comme étant expert
– may I represent that ... ?	– puis-je vous faire observer que ... ?
– can you represent to him ... ?	– pouvez-vous lui faire comprendre ... ?
REPRESENTATION (n)	représentation; interprétation (d'un rôle); démarche
– joint representations	– démarche collective

REPRESS (v)	réprimer; retenir; contenir; (psychologie) refouler
– I could hardly repress my laughter	– j'ai dû faire beaucoup d'efforts pour ne pas rire
RE- PROOF (v)	réimperméabiliser
RESENT (v)	être contrarié; être froissé; s'offusquer de
– I resent your tone	– votre ton me déplaît fortement
– do you resent my being here ?	– ma présence vous déplaît-elle ?
	(F) ressentir = (E) to feel
RESERVATION (n)	réserve; réservation; (US) parc national, réserve
– mental reservation	– restriction mentale
– without reservation	– sans restriction; sans arrière-pensée
– central reservation	– bande médiane d'une route
RESIDENCE (n)	résidence; demeure; maison; séjour
– desirable residence for sale	– belle propriété à vendre
– there is always a doctor in residence	– il y a toujours un médecin de garde
RESIDENT (n)	habitant; résident (d'un pays étranger)
– resident (physician)	– (US) (médecin) interne
– residents only	– (code de la route) "interdit sauf riverains", "excepté circulation locale"
RESIGN (v)	donner sa démission; renoncer à; abandonner
– resign!	– (politique) démission!
– he resigned the leadership to his colleague	– il a cédé la direction à son collègue
– to resign oneself to sleep	– s'abandonner au sommeil
	(F) se résigner à = (E) to resign oneself to, to put up with
RESIGNATION (n)	démission; abandon; résignation
– to tender one's resignation	– présenter sa démission
RESORT (n)	recours, ressource, expédient; lieu de séjour ou de vacances
– winter sports resort	– station de sports d'hiver
– a resort of thieves	– un repaire de voleurs
RESORT to (v)	recourir à

– to resort to force	– avoir recours à la force
– he resorted to threats	– il en vint aux menaces
RESPECT (n)	respect; considération; égard; rapport; (au pluriel) hommages
– he can command respect	– il impose le respect
– in this respect	– à cet égard
RESPECT (v)	(se) respecter; avoir trait à, concerner
– as respects	– en ce qui concerne, quant à
– questions respecting a matter	– les questions relatives à un sujet
RESPECTABLE (adj)	respectable, honorable; pas mal, passable
– a respectable sum	– une somme rondelette
– that's not respectable	– cela ne se fait pas
– he plays quite respectably	– il joue pas mal du tout
RESPIRATOR (n)	(médecine) respirateur; (armée) masque à gaz
RESPOND (v)	répondre; réagir
– to respond to kindness	– être sensible à la gentillesse
– the illness responded to treatment	– le traitement a agi sur la maladie
RESPONSE (n)	réplique; réaction; réponse; (religion) répons
RESPONSIBLE (adj)	responsable; chargé de; digne de confiance; capable, compétent
– to be responsible for	– (personne) être l'auteur de; (chose) être la cause de
– to be directly responsible to sb	– relever directement de qn
RESPONSIVE (adj)	qui réagit bien; sensible
– he's very responsive	– il n'est pas du tout timide
– responsive engine	– moteur nerveux
– responsive to criticism	– sensible à la critique
REST (n)	repos; appui, support; reste, restant; (en poésie) césure; (en musique) silence
– rest centre	– centre d'accueil
– to lay to rest	– porter en terre
– rest-room	– (US) toilettes
– give it a rest!	– (familier) change de disque!; laisse tomber!

– arm-rest	– accoudoir
– crotchet rest	– (musique) soupir
– semi-breve rest	– (musique) pause
REST (v)	(se) reposer; demeurer; (s') appuyer
– the decision rests with you	– la décision dépend de vous
– we decided to let the matter rest	– nous avons décidé de ne plus parler de cela
	(F) rester = (E) to stay, to remain
RESTIVE (adj)	rétif, agité, nerveux; indocile
RESTORATION (n)	rétablissement; (droit) restitution; restauration(d'un monument ou d'un régime politique); (GB histoire, avec majuscule) période qui a suivi l'année de la restauration de la monarchie (1660)
	(F) restauration (restaurant) = (E) catering
	(F) restauration rapide = (E) fast food (industry)
RESTORATIVE (adj & n)	fortifiant, reconstituant
RESTORE (v)	restituer; rétablir; restaurer
– to restore to life	– ramener à la vie
RESTRICTED area	zône à limitation de vitesse
RESTRICTED diet	régime sévère
RESTRICTED document	document confidentiel
RESUME (n)	résumé; (US) curriculum vitae
RESUME (v)	reprendre (qqch au point où on l'avait laissé); renouer; recommencer; (rare) résumer
– to resume work	– se remettre au travail
– resume your seat!	– retournez à votre place!
– let's resume where we left off	– reprenons là où nous en étions restés
	(F) résumer = (E) to sum up, to summarize
RESUMPTION (n)	reprise
– resumption of residence	– réintégration du domicile
RESURGENCE (n)	réapparition; redémarrage (de l'économie)
– a resurgence of terrorist activity	– une reprise du terrorisme
	(F) résurgence (en géologie) = (E) reappearance

RESURGENT (adj) — renaissant; qui connaît un nouvel essor; en nette augmentation

(F) résurgent = (E) re-emergent

RETAIL (n) — (vente au) détail
- retail dealer — détaillant
- retail shop (GB), retail store (US) — magasin de détail

RETAIL (v) — (se) vendre au détail; (sens figuré) colporter
- these socks retail at £ 5 a pair — ces chaussettes se vendent au détail 5 livres la paire
- who is responsible for retailing these rumours ? — qui répand ces rumeurs ?

(F) retailler = (E) to re-cut, to sharpen, (arbre) to (re-)prune

RETAILER (n) — détaillant
- retailer of news — colporteur de nouvelles

RETAIN (v) — maintenir; conserver; garder (en mémoire)
- to retain hold of sth — ne pas lâcher prise
- retained earnings — (finance) bénéfices reportés

RETAINER (n) — acompte, provision; (archaïque) serviteur (d'un noble)

RETALIATE (v) — se venger; riposter, rétorquer; rendre la pareille
- he retaliated by pointing out that ... — il a riposté en faisant remarquer que ...

RETALIATION (n) — revanche; représailles; vengeance
- the law of retaliation — la loi du talion
- policy of retaliation — politique de représailles

RETARDED (adj) — (médecine) retardé; arriéré; demeuré

(F) j'ai été retardé = (E) I have been delayed

RETENTION (n) — conservation, maintien; (médecine) rétention; mémoire

RETICENCE (n) — retenue, réserve; (littéraire) réticence

(F) sans réticence = (E) without any hesitation

RETICENT (adj)	peu communicatif, taciturne; réticent
– she was very reticent about it	– elle n'en a pas dit grand-chose
RETINUE (n)	suite (d'une personnalité); escorte
	F retenue = E (prélèvement) deduction; (modération) reserve, reticence; (punition) detention
RETIRE (v)	se retirer, partir; aller se coucher; mettre à la retraite; prendre sa retraite
– a retired teacher	– un professeur pensionné
	F retirer = E to take off, to remove, to withdraw
RETIREE (n)	(US) retraité(e)
RETIREMENT (n)	retraite; isolement, solitude; (sport) abandon
RETORT (n)	réplique, riposte; cornue
RETORT (v)	rétorquer, répliquer, riposter
RETRACE one's steps (v)	revenir sur ses pas, rebrousser chemin
	F retracer = E to relate; to redraw
RETRENCH (v)	restreindre, réduire; faire des économies; faire des coupures (livre, film, etc ...)
RETRENCHMENT (n)	réduction des dépenses; (armée) retranchement
– policy of retrenchment	– politique d'économies
RETRIBUTION (n)	châtiment
– just retribution for a crime	– juste récompense d'un crime
	F rétribution = E payment, remuneration; (sens figuré) reward, recompense
RETRIEVAL (n)	récupération, recouvrement; réparation
– beyond retrieval	– irréparable
RETRIEVE (v)	récupérer, recouvrer; rétablir; réparer (une erreur)
– we shall retrieve nothing from this disaster	– nous ne sauverons rien de ce désastre
RETROACTION (n)	rétroaction; réaction; contre-coup

RETURN (n)	retour, renvoi; remboursement; restitution; récompense; rapport, rendement; rentrées, recettes; déclaration; élection; (sport) riposte
– official returns	– statistiques officielles
– return on capital	– rapport de capital
– tax return	– feuille de déclaration des revenus
– return item	– impayé
– small profits and quick returns	– de bas prix et un gros chiffre d'affaires
RETURN (v)	revenir, retourner; restituer; rembourser; répondre, répliquer; faire en retour; déclarer, élire (un député)
– to return a verdict	– prononcer un verdict
– he was returned by an overwhelming majority	– il a été élu à une écrasante majorité
– returning officer	– président de bureau de vote
– to return the favour	– (familier) renvoyer l'ascenseur
REUNION (n)	retrouvailles (F) réunion = (E) meeting
REV (n)	abréviation de : **REVEREND** = curé ou pasteur **REVOLUTION** = tour de moteur
– the engine is on small revs	– le moteur tourne lentement
– two thousand revs a minute	– deux mille tours/minute
REV UP (v)	faire emballer le moteur; s'emballer
– we heard a car revving up in the driveway	– on a entendu une voiture qui accélérait dans l'allée
– we need to rev up the production	– il nous faut stimuler la production
REVEL (v)	se divertir, s'amuser; faire la noce; se délecter à
– to revel in words	– se griser de mots (F) réveiller = (E) to wake (up), to waken
REVEL(L)ER (n)	noceur
– a crowd of noisy revellers	– une bande de noceurs bruyants
REVELRY , REVELS (n)	divertissements, réjouissances
in REVENGE for	pour se venger de (F) en revanche = (E) on the other hand

REVENUE (S) (n)	(pour une collectivité ou un état) recettes; (pour un particulier) rentes
– Public Revenue	– le Trésor
– excise revenue	– impôts indirects
– operating revenue – sales and revenues }	– chiffre d'affaires
– revenue man	– douanier
– revenue stamp	– timbre fiscal
– revenue sharing	– (US) redistribution des impôts fédéraux aux autorités locales
	(F) revenus (d'un particulier) = (E) income
REVERBERATE (v)	retentir; résonner; (lumière) réverbérer, réfléchir; (se) répercuter
REVERBERATION (n)	écho; (son) répercussion; (lumière) réverbération
REVERBERATOR (n)	réflecteur
REVERENT (adj)	respectueux; plein de vénération
REVERSE (n)	contraire, inverse; revers; verso; échec, défaite
– it's quite the reverse	– c'est tout le contraire
– to get into reverse	– se mettre en marche arrière
REVERSE (v)	renverser, retourner, inverser; annuler, abroger; faire marche arrière
– reversed charge call	– communication téléphonique en PCV
– to reverse one's car down the hill	– (voiture) descendre la côte en marche arrière
REVIEW (n)	examen, étude, bilan; revue (militaire ou de presse); rappel; tour d'horizon; critique (d'une oeuvre); (US) révision (scolaire)
– review copy	– exemplaire destiné au service de presse
– I shall hold your case under review	– je suivrai votre affaire de très près
	(F) revue (périodique) = (E) magazine
REVIEW (v)	passer en revue; faire la critique de; (US, école) revoir, réviser
– we shall review the situation next year	– nous reconsidérerons la situation l'année prochaine

REVIEWER (n)	critique littéraire ou artistique
REVISE (v)	réviser; mettre à jour; corriger
– the profits have been revised upwards	– les bénéfices ont été revus à la hausse
– to revise a decision	– revenir sur une décision
REVISER (n)	correcteur; réviseur
	(F) réviseur d'entreprise = (E) auditor
REVISION (n)	révision; correction
REVIVE (v)	(se) ranimer; réanimer; ressusciter; (faire) reprendre connaissance; remettre en vogue
– our hopes have revived	– nous avons repris espoir
– to revive sb's spirits	– remonter le moral à qn
REVIVER (n)	(boisson) remontant
REVOKE (v)	révoquer; abroger (une loi), annuler; (cartes) faire une fausse renonce
– to revoke a promise	– revenir sur une promesse
– to revoke a driving licence	– retirer un permis de conduire
REVOLVE (v)	(faire) tourner
– revolving light	– gyrophare
RHYTHM method	(contraception) méthode des températures
RIDE (n)	course; promenade; trajet (en véhicule ou à cheval); allée cavalière, piste
– to take sb for a ride	– emmener qn en promenade; (sens figuré) faire marcher qn, rouler qn; (US) emmener qn pour le tuer
	(F) ride = (E) wrinkle
RIDE (v)	se déplacer (à cheval, vélo ou moto)
– the jockey was riding just under 65 kilos	– en tenue le jockey pesait un peu moins de 65 kilos
– don't ride him too hard	– (US) ne soyez pas trop dur avec lui
RIDER (n)	cavalier; annexe; avenant, clause additionnelle
– the committee added a rider condemning ...	– la commission a ajouté un article condamnant ...

RIME (n)	rime; givre; gelée blanche
RING (n)	anneau, bague; cercle, rond; groupe, bande; (sport) ring
RIVE (v)	(se) fendre
	(F) river = (E) to rivet
RIVER (n)	rivière, fleuve, cours d'eau
ROBE (S) (n)	robe de cérémonie; vêtement ample; (US) couverture, plaid
– bath robe	– peignoir (de bain)
– a judge's black robes	– la robe d'un juge
	(F) robe = (E) dress
RODENT (adj & n)	rongeur
– rodent cancer	– (médecine) cancer de la peau
ROGER (interj)	(télécommunications : mot-code, souvent avec majuscule) reçu et compris
ROLL (n)	rouleau; petit pain; liste; roulement, coup de roulis
– Swiss roll	– (pâtisserie) bûche
– class roll	– liste des élèves
– payroll	– (ensemble du) personnel
– rollback	– (US) baisse forcée des prix sur ordre du gouvernement
– rollover	– refinancement
ROMAN (adj & n)	romain, Romain
	(F) roman = (E) (livre) novel; (architecture) Romanesque; (langue) Romance
ROMANCE (adj)	roman (langue)
– Romance languages	– les langues romanes
ROMANCE (n)	roman d'amour et d'aventures; idylle; chose insolite, irréelle ou exotique
– they had a beautiful romance	– ils ont vécu un beau roman d'amour
– the romance of the sea	– la poésie de la mer
	(F) romance = (E) lovesong, sentimental ballad

ROMANCER (n)	conteur
– he's a romancer	– il enjolive toujours tout
	(F) romancier = (E) novelist
ROMANESQUE (adj)	roman (style en architecture)
	(F) romanesque = (E) fabulous, fantastic, romantic
ROMP (v)	s'ébattre bruyamment; gagner haut la main
– to romp through an examination	– réussir haut la main
ROMPERS (n pl)	barboteuse
ROT (n)	pourriture; carie; bêtises, idioties
– to stop the rot	– redresser la situation
– to talk rot	– dire des foutaises
	(F) rot = (E) burp
ROT (v)	pourrir, se décomposer
– to rot in jail	– croupir en prison
	(F) roter = (E) to burp
ROTE (n)	routine
– by rote	– machinalement; sans comprendre
ROTTER (n)	(familier) propre à rien; sale type; vache
ROTUND (adj)	(personne) rondelet, arrondi; (style) emphatique, ampoulé
ROUE (adj)	débauché; roué
ROUGE (v)	(se) mettre du rouge, (se) farder
	(F) rougir = (E) to blush, to flush, to redden
ROUT (n)	déroute, débandade; attroupement illégal
ROUT (v)	mettre en déroute
ROUT about (v)	fouiller
ROUT out (v)	dénicher
ROUTE (n)	itinéraire, parcours; (armée) ordres de marche
– bus route	– ligne de bus

– to alter one's route	– changer de cap, de direction
– he has a paper route	– (US) il distribue des journaux
ROYALTIES (n pl)	redevance; droits d'auteur; royalties
RUDE (adj)	impoli, mal élevé, grossier; primitif; brusque; robuste, vigoureux
– he's in rude health	– il a une santé de fer
	(F) rude = (E) rough, hard, crude
RUE (v)	se repentir de, regretter amèrement
	(F) ruer = (E) to kick (out), to lash out
	(F) se ruer = (E) to dash
RUIN (v)	ruiner; abîmer, gâcher, gâter
– the wind ruined her hairstyle	– le vent l'a complètement décoiffée
RUT (n)	rut; ornière; routine
– to get out of the rut	– sortir de l'ornière
– to move in a rut	– s'encroûter
RUT (v)	être en rut; sillonner

SABLE (adj)	(poétique) noir, foncé
SABLE (n)	(poil, fourrure de) zibeline; (héraldique) sable
	(F) sable = (E) sand
SACK (n)	grand sac; mise à la porte; (argot) pieu, plumard; sac, pillage; vin blanc sec
– to give sb the sack	– mettre qn à la porte
– to hit the sack	– aller se pieuter
– Sherry sack	– vin de Xérès
	(F) sac (pour porter) = (E) bag
SAGE (adj)	sage, prudent, avisé; solennel; philosophe
– sagely	– d'un ton doctoral
SAGE (n)	sauge
– sage green	– vert cendré
SALABLE (adj)	voir **SALEABLE** (adj)
SALAD days	années de jeunesse, d'inexpérience
SALARIED (adj)	personne qui touche un traitement ou des appointements; appointé
	(F) salarié = (E) wage earner
SALARY (n)	traitement, appointements, rémunération
– salary bracket	– fourchette des traitements
	(F) salaire = (E) wage(s)

SALE (n)	vente
– for sale	– à vendre
– sales pitch	– baratin publicitaire, boniment
SALEABLE (adj)	vendable
– highly saleable	– très demandé
SALOON (n)	saloon; (US) wagon-salon; (auto) conduite intérieure
SALUTE (n)	salut (militaire); salut cérémonieux; salve
– to take the salute	– passer en revue
SALVE (n)	baume; onguent; pommade
– lip salve	– pommade pour les lèvres
	(F) salve = (E) salvo, volley
SALVE (v)	adoucir, soulager, apaiser; sauver
SANCTION (n)	sanction; approbation
– he gave his sanction	– il a donné son approbation
– with the sanction of	– avec le consentement de
SANCTION (v)	sanctionner; approuver; ratifier
– sanctioned by usage	– consacré par l'usage
SANCTUARY (n)	sanctuaire; asile, refuge; réserve
– to seek sanctuary	– chercher asile
– wild life sanctuary	– réserve naturelle
SANE (adj)	sain d'esprit; sensé; raisonnable
	(F) sain = (E) sound, healthy
SANGUINE (adj)	confiant, optimiste; rubicond, sanguin
– of sanguine disposition	– porté à l'optimisme
– to feel sanguine about the future	– avoir confiance en l'avenir
SATISFY (v)	satisfaire, contenter, donner satisfaction à; convaincre, assurer qn que
– to satisfy oneself of sth	– s'assurer de qch
– I am satisfied that you have done your best	– je suis convaincu que vous avez fait de votre mieux

SAUCE (n)	sauce; impertinence, culot, toupet
– what sauce!	– quel toupet!
– to be on the sauce	– (US) picoler dur
SAUCE (v)	dire des impertinences
SAUCER (n)	soucoupe, sous-tasse
– saucer-shaped	– en forme de soucoupe
SAUCY (adj)	impertinent, effronté; fripon, coquin; coquet
– hat at a saucy angle	– chapeau coquettement posé sur l'oreille
SAVAGE (adj)	brutal; féroce; furieux; primitif, barbare
– he grew savage	– il s'est fâché tout rouge
– savage criticism	– critique féroce
	(F) sauvage = (E) wild
SAVAGE (v)	attaquer férocement
– she was savaged by a mad dog	– elle a été attaquée par un chien enragé
SAVE (v)	sauver; protéger, sauvegarder; épargner, économiser
– to save stamps	– collectionner des timbres
SAVOURY herbs	plantes aromatiques
SCABROUS (adj)	scabreux; risqué; (botanique & zoologie) rugueux
SCALLOP (n)	coquille Saint-Jacques, pétoncle; (au pluriel) festons
	(F) escalope = (E) escalope, fillet
SCALP (v)	scalper; (US) faire le trafic de
– he's been scalping theatre tickets	– il a vendu des billets de théâtre au marché noir
SCANDAL (n)	scandale, honte; médisance; cancans, ragots
– scandalmonger	– mauvaise langue, colporteur de ragots; (US, journal) torchon, feuille de chou
SCENE (n)	scène, lieu, endroit; décor(s); spectacle, vue, tableau; (familier) liaison
– the scene of operations	– le théâtre des opérations

– they were soon on the scene	– ils furent vite sur les lieux
– it's not my scene	– ce n'est pas mon truc
SCENIC road	(US) route touristique
SCENIC railway	(US) montagnes russes
SCENT (v)	pressentir, flairer; parfumer, embaumer
– scented handkerchief	– mouchoir parfumé
SCHEME (n)	plan, projet; complot, combine, machination, intrigue; arrangement, combinaison
– pension scheme	– régime de retraites
– scheme of composition	– concordat judiciaire
– shady scheme	– combinaison louche, combine
– it's not a bad scheme	– ça n'est pas une mauvaise idée
SCHEME (v)	comploter, conspirer
– they've been scheming to get me dismissed from my job	– ils ont intrigué pour me faire perdre mon emploi
SCHEMER (n)	intrigant; conspirateur, comploteur
SCHOLAR (n)	érudit, lettré, savant; étudiant boursier
SCHOLASTIC (adj)	scolastique; scolaire
– scholastic agency	– bureau de placement pour professeurs
– scholastic aptitude test	– (US) examen d'entrée à l'université
– scholastic profession	– profession d'enseignant; corps enseignant
SCOOP (n)	pelle (à main); coup de pelle; écope; lame de bulldozer, benne; épuisette; creux, excavation; reportage exclusif ou à sensation, scoop
– at one scoop	– d'un coup, en un seul coup de pelle
– aural scoop	– cure-oreilles
– to make a scoop	– (commerce) réaliser un gros bénéfice; (presse) publier en exclusivité
SCOOTER (n)	scooter; trottinette
SCORCH (v)	roussir, brûler légèrement
– scorching heat	– chaleur brûlante
	(F) écorcher = (E) to scratch, to graze
– scorch along (v)	– (moto) rouler à fond de train

SCORE (n)	score; marque, point; note; compte; dette; éraflure, encoche, entaille; partition musicale; vingt, vingtaine
– on more scores than one	– à plus d'un titre
– scores of people	– une masse de gens
– who wrote the score ?	– qui est l'auteur de la musique ?
– on the score of ill-health	– pour raison de santé
– to know the score	– (US) s'y connaître
SCORE (v)	marquer (but, point); entailler; strier, rayer; inciser; (musique) adapter; avoir du succès
– in darts a bullseye scores you 5O points	– aux fléchettes, mettre dans le mille vous rapporte 5O points
SCOTCH (n)	cale, sabot d'arrêt (pour une roue); entaille; (avec majuscule) whisky écossais; les Ecossais
SCOTCH (v)	étouffer (une rumeur); faire échouer (un plan); étouffer (une révolte)
– you can scotch the rumour by explaining the true facts	– on peut couper court à la rumeur en expliquant les faits tels quels
SCOUT (n)	scout; éclaireur; (GB, université) domestique
– he's a good scout	– c'est un chic type
– scout car	– voiture de reconnaissance
– to have a scout round	– reconnaître le terrain
SCOUT about (v)	(armée) aller en reconnaissance
SCRUTINIZE (v)	scruter, examiner minutieusement; pointer les votes
SCRUTINY (n)	examen minutieux; regard insistant; comptage, pointage des votes après une élection
– under his scrutiny she felt nervous	– son regard insistant la mettait mal à l'aise
	(F) scrutin = (E) ballot, poll
SEARCH (v)	fouiller, perquisitionner; inspecter; examiner en détail; (informatique) consulter
– they searched him for a weapon	– ils l'ont fouillé pour s'assurer qu'il n'avait pas d'arme
SEASON (n)	saison; période, laps de temps

– dull season	– morte-saison
– in season	– (animal) en chaleur
– in due season	– en temps voulu
– season (-ticket)	– abonnement
– a Renoir season	– un cycle Renoir
SEASON (v)	assaisonner, épicer; (bois) faire sécher
SECOND (adj)	deuxième; second
– second-hand	– d'occasion
– second-guess	– (US) quelque chose que l'on comprend après coup
– as a second-best	– faute de mieux
SECONDER (n)	personne qui appuie une motion
SECONDMENT (n)	affectation provisoire, détachement
SECRETE (v)	secréter; cacher, dissimuler, soustraire à la vue; recéler
SECRETION (n)	secrétion; action de cacher
SECULAR (adj)	séculier; laïque, profane
– secular education	– enseignement laïque
SECULARITY (n)	laïcité
SECURITY (n)	sécurité; titre, valeur; caution, gage, garantie
– security firm	– société de surveillance
– securities market	– (finance) marché des valeurs
– government securities	– bons du Trésor
– transferable securities	– valeurs mobilières
SEDAN (n)	chaise à porteurs; (US, auto) berline
SEGMENT (n)	segment; morceau, quartier de fruit
SEIZURE (n)	saisie; capture; confiscation; (droit) mainmise; (médecine) attaque, crise
– to have a seizure	– avoir une attaque
SELECTEE (n)	(US, armée) appelé

SELF (n)	le moi
– self aggrandizement	– autoglorification
– his better self	– son meilleur côté
– my second self	– mon alter ego
– self-coloured	– uni
– self-composed	– posé, calme
SELL (n)	déception; attrape-nigaud
– what a sell!	– ce que je me suis fait avoir!
SELL (v)	(se) vendre; faire accepter; tromper
– to sell sb an idea	– faire accepter une idée par qn
– to be sold on an idea	– être emballé par une idée
SELLER (n)	vendeur, vendeuse; article qui se vend bien, qui marche
– this book is a good seller	– ce livre se vend comme des petits pains
SEMIBREVE (n)	(musique) ronde
– semibreve rest	– (musique) pause
SENIOR (adj)	aîné; de rang supérieur; (US, université) étudiant de licence
– John Brown Senior	– John Brown père
– the senior citizens	– le troisième âge
SENSE (v)	sentir intuitivement; pressentir
– I could sense his eyes on me	– je sentais qu'il me regardait
SENSIBLE (adj)	sensé, raisonnable; appréciable, perceptible, sensible
– sensible choice	– choix judicieux
– sensible clothing	– vêtements pratiques
– to be sensible of	– être conscient de
– a sensible rise in temperature	– une hausse assez considérable de la température
	(F) sensible (émotion) = (E) sensitive
SENSIBLENESS (n)	bon sens; jugement; raison
	(F) sensiblerie = (E) sentimentality
	(F) sensibilité = (E) sensitivity
SENTENCE (n)	phrase; sentence, jugement, condamnation

SENTENCE (v) — prononcer une condamnation contre

- to sentence sb to death — condamner qn à mort

SEQUEL (n) — suite; résultat, conséquence; séquelles

- in the sequel — par la suite
- as an unexpected sequel to the meeting ... — conséquence imprévue de la réunion, ...

SEQUENCE (n) — ordre, suite; succession; (film) séquence; (danse) numéro

- in sequence — en série
- sequence of tenses — concordance des temps
- a sequence of accidents has prompted the council to put up warning signs — la multiplication des accidents a incité la ville à faire placer des signaux de danger

SERIOUS (adj) — sérieux; grave

- seriously wounded — grièvement blessé

SERPENTINE (adj) — sinueux, tortueux

- the serpentine course of the river — le cours sineux de la rivière

SERVANT (n) — domestique; serviteur, servante

- general servant — bonne à tout faire
- civil servant — fonctionnaire

SERVE (v) — servir; desservir; (gaz, eau) alimenter; notifier (un acte), exercer (une fonction)

- to serve one's time — faire son temps de service (ou de prison)
- to serve a summons on sb — remettre une assignation à qn
- they have served me very badly — ils ont très mal agi envers moi
- it serves him right! — c'est bien fait pour lui!

SERVICEABLE (adj) — utile; pratique; commode

- serviceable clothes — vêtements solides

(F) serviable = (E) obliging

SESSION (n) — séance; session; année scolaire ou académique; (dans les universités écossaises et américaines) trimestre

- he's just had a session with the dentist — il vient d'avoir une séance chez le dentiste

SET (n)	ensemble; collection; jeu, série, assortiment; trousse; appareil; poste; groupe, bande; cercle, milieu; (théâtre) scène; (cinéma) plateau; (tennis) set; mise en plis; plante à repiquer
– set of teeth	– dentition
– the golfing set	– le monde du golf
– at set of sun	– au coucher du soleil
– on the set	– (cinéma) sur le plateau
– onion sets	– oignons à repiquer
SEVER (v)	couper, trancher, désunir; (se) rompre; (plante) sevrer
– to sever one's connections with sb	– couper les ponts avec qn
	(F) sevrer (nourrisson) = (E) to wean
SEVERE (adj)	sévère; dur, rigoureux; grave
– a severe cold	– un gros rhume
– severely wounded	– grièvement blessé
SEVERITY (n)	sévérité; rigueur; gravité; violence; austérité
SHARPIE (n)	(US) petit(e) futé(e); filou (F) mettre en charpie = (E) to tear to shreds, to mash up
SHOCK of hair	tignasse
SHOCK (v)	secouer; bouleverser, atterrer; dégoûter; choquer, scandaliser
– shocking price	– prix horriblement élevé
– shocking weather	– temps exécrable
– to shock sb out of his complacency	– secouer qn jusqu'à ce qu'il en perde sa suffisance
SHOCKER (n)	qui provoque un choc
– he's a shocker	– il est imbuvable
SHORT (n)	court métrage; court-circuit
– in short	– en bref
– (a pair of) shorts	– short; (US) caleçon
SIGN (n)	signe, geste, enseigne, panneau; indication; symbole; (médecine) symptôme
– I can't read the sign	– je n'arrive pas à lire le panneau

SIGNAL (adj)	remarquable, éclatant, capital
– a signal achievement	– une réalisation remarquable
SIGNAL (v)	faire signe; communiquer par signaux; indiquer, signaler
– she was signalling wildly waving her arms	– elle agitait les bras dans tous les sens pour attirer notre attention
SIGNATURE tune	indicatif musical
SIGNIFICANCE (n)	importance, portée; signification
SIGNIFICANT (adj)	important, considérable; significatif
– it is significant that	– il est révélateur que
SILENCER (n)	amortisseur de son; pot d'échappement; silencieux
SINGE (n)	légère brûlure; brûlage; roussissure
– singe mark	– tache de roussi
	(F) singe = (E) ape
SINGE (v)	brûler légèrement, roussir; passer à la flamme, flamber
– to singe one's wings	– se brûler les doigts
	(F) singer = (E) to ape, to mimic
SITE (n)	emplacement; site; chantier
SKETCH (n)	croquis; esquisse; sketch, saynète
– a rough sketch	– une ébauche
SKETCH (v)	faire un croquis; esquisser, ébaucher
SLAVE (n)	esclave
	(F) slave = (E) Slavic
SLAVE away (v)	travailler comme un nègre
SLIP (n)	dérapage, glissade; glissement; faux pas; erreur, gaffe, bévue; petite faute, oubli; taie d'oreiller; (vêtement) combinaison; cale; coulisses; bouture
– it was a slip of the tongue	– la langue lui a fourché

– a slip of paper	– un bout de papier
– write your name and address on this red slip	– inscrivez votre nom et votre adresse sur cette fiche rouge
– a fine slip of a girl	– un beau brin de fille
– ship on the slips	– navire en chantier
	(F) slip = (E) briefs, pants, (bathing) trunks
SMOKING (n)	tabagisme
– smoking can damage your health	– le tabac est mauvais pour la santé
	(F) smoking = (E) evening suit, (GB) dinner jacket, (US) tuxedo
SNACK (n)	léger repas, casse-croûte; amuse-gueule
	(F) snack = (E) snack bar
SOBER (adj)	sérieux; posé, sensé, modéré; à jeun (de boisson), sobre
– the sober facts of the matter	– les faits tels qu'ils sont
– he is never sober	– il est toujours ivre
SOCIAL (adj)	social; sociable; qui concerne la société, mondain
– social sciences	– sciences humaines
– social news	– nouvelles de la haute société
– social event	– soirée, réception
– social climber	– arriviste
– his social equals	– ses pairs
SOCK (n)	chaussette; soquette; semelle intérieure; (familier) coup, beigne, raclée, gnon
– to give sb a sock on the jaw	– (familier) flanquer son poing sur la gueule de qn
SOCKET (n)	cavité, trou; (électricité) prise femelle
	(F) socquette = (E) ankle sock
SODA (n)	soda; soude
– cooking/baking soda	– bicarbonate de soude
SOLE (adj)	seul, unique, exclusif
– sole agent	– agent exclusif
– sole legatee	– légataire universel

SOLE (n)	(poisson) sole; plante des pieds; semelle
SOLICIT (v)	solliciter; briguer; (prostitution) racoler
– the police arrested her for soliciting	– la police l'a arrêtée pour racolage
SOLICITATION (n)	sollicitation; fait de briguer; racolage
SOLICITOR (n)	avocat, avoué, conseiller juridique, notaire; (US) courtier, démarcheur
– Solicitor-General	– adjoint du Procureur Général
– to instruct a solicitor	– donner ses instructions à un avocat ou à un notaire
SOLID (adj)	solide; dense, épais, compact; (US) excellent, formidable, au poil
– solid gold	– or massif
– solid liquor	– boisson alcoolisée non allongée d'eau
– solid meal	– repas copieux
– solid rain	– pluie continue
– for three solid hours	– trois heures d'affilée
– the square was solid with cars	– la place était complètement embouteillée
SOPHISTICATED (adj)	raffiné, élégant; plein de recherche, de complexité; perfectionné; (péjoratif) sophistiqué
– he's very sophisticated	– il a beaucoup de savoir-vivre
– a sophisticated discussion	– une discussion subtile
– a sophisticated little dress	– une petite robe noire toute simple
SOPHISTICATION (n)	raffinement, élégance, recherche; complexité; subtilité; (sens péjoratif) sophistication
SORT (n)	sorte, genre, espèce; quelque chose de ce genre
– nothing of the sort	– rien de semblable, pas du tout
– in some sort	– jusqu'à un certain point
– to be out of sorts	– ne pas être dans son assiette
– I sort of feel that	– j'ai comme l'impression que
– it takes all sorts to make a world	– il faut de tout pour faire un monde
	(F) sort = (E) fate
SORT (v)	trier, classer; arranger, réparer
– I've sorted your bike	– j'ai arrangé ton vélo
– I can't sort the twins out	– je ne peux pas distinguer les jumeaux

SORTER (n) trieur; trieuse

SOT (n) ivrogne invétéré; soûlard
(F) sot = (E) fool, idiot

SOUL (n) âme; personne
- soul food – (US) nourriture bon marché

SOUPER (n) purée
(F) souper = (E) supper

SOUR (adj) aigre, acide
- sour-faced – à la mine rébarbative

SOVEREIGN (n) souverain; pièce d'une livre sterling en or

SPA (n) source minérale; station thermale

SPEAKER (n) interlocuteur; orateur, conférencier; (GB, avec majuscule) Président de la Chambre des Communes
(F) speaker (à la radio) = (E) (news) announcer

SPECIAL (adj) spécial; particulier; peu courant
- special-delivery letter – lettre express
- special friend – ami intime
- special handling – (US, poste) acheminement rapide
- special price – prix d'ami
- special treatment – traitement de faveur

SPECIALITY (US: -LTY) (n) spécialité; particularité

SPECIMEN (n) spécimen; exemple; échantillon; prélèvement
- the doctor will need a specimen of your blood – le médecin voudra avoir un échantillon de votre sang

SPECTACLES (n pl) , **(also: SPECS)** lunettes
- to see the world through rose-coloured spectacles – voir la vie en rose

SPERM oil huile de baleine

SPERM whale cachalot

SPIRIT (n) — esprit; courage, ardeur, cran; entrain; (souvent au pluriel) boissons alcoolisées

- man of spirit — homme de caractère
- with spirit — avec entrain
- to be in low spirits — être déprimé
- spirit level — niveau à bulle
- spirit-stove — réchaud à alcool

SPLEEN (n) — rate; mauvaise humeur; (vieilli) spleen

- to vent one's spleen on sb — décharger sa bile sur qn

SPOILER (n) — aérofrein

SPOLIATION (n) — pillage; spoliation

SPORT (n) — sport; amusement, plaisir, divertissement; brave type; (biologie) variété anormale

- the remarks were only made in sport — ces remarques, on les a faites pour blaguer
- to make sport of — se moquer de
- he's a sport — c'est un chic type
- to be the sport of — être le jouet de
- this insect is a sport; it has seven legs — cet insecte est d'une espèce peu courante puisqu'il a sept pattes

SPORTIVE (adj) — folâtre, badin

(F) sportif = (E) sporting

SPOT (n) — tache; point; goutte; endroit, lieu; (radio, TV) numéro

- our man on the spot — (presse) notre envoyé spécial
- night spot — boîte de nuit
- spot check — contrôle intermittent
- spot announcement — brève annonce

(F) spot = (E) (lumière) spotlight; (publicité) ad, commercial

SQUARE (n) — carré; place (rectangulaire); (US) pâté de maisons; équerre; vieux jeu, conformiste

- out of square — qui n'est pas d'équerre
- don't be such a square ! — (familier) tu retardes !

(F) square = (E) public garden(s)

SQUASH (n) — cohue, fait d'être écrasé ou entassé; (sport) squash; pulpe; (US) courge(tte)
- five people in this car is a bit of a squash — à cinq dans cette voiture on est drôlement serrés
- orange squash — orangeade

STABLE (n) — écurie
- riding stable(s) — centre d'équitation

(F) étable = (E) cowshed

STAFF (n) — personnel; état-major; bâton, perche
- a staff for my old age — mon bâton de vieillesse
- their only weapons were long staves — ils n'étaient armés que de longs bâtons

STAGE (n) — scène; estrade; étape, phase, stade
- stagecraft — (théâtre) technique de la scène
- stage door — entrée des artistes
- in a stage whisper — (sens figuré) en aparté
- a four-stage rocket — une fusée à quatre étages

(F) stage = (E) training period

STAMINA (n) — vigueur, résistance, endurance
- you need great stamina to run the 10,000 metres — il faut beaucoup d'endurance pour courir le 10.000 mètres

(F) étamine = (E) (botanique) stamen, (tissu) muslin

STANDARD (n) — bannière, étendard, pavillon; étalon, norme, critère, modèle, type; degré de qualité; support, pied; tuyau
- standard bearer — porte-étendard
- judging by that standard — si l'on en juge selon ce critère
- standard of living — niveau de vie
- standard size — taille normale
- standard lamp — lampadaire

STANDING (n) — importance, rang, standing; réputation; durée
- what's his standing ? — quelle est sa réputation ?
- of long standing — de longue date
- he has 30 years' standing in the firm — il a 30 ans d'ancienneté dans la société

STARTER (n) — celui qui donne le signal du départ; partant; démarreur; (au pluriel) hors-d'oeuvre(s)

– to be a slow starter	– être lent à démarrer
– it's a non-starter	– (sens figuré) ça ne vaut rien
– for starters ?	– et comme hors-d'oeuvre ?
	(F) starter = (E) choke
STATE (n)	état; rang; pompe, apparat, gala
– state apartments	– salons d'apparat
– every state of life	– tous les rangs sociaux
– to live in state	– mener grand train
STATION (n)	gare, (métro) station; position, poste; rang, situation sociale
– fire station	– caserne de pompiers
– police station	– commissariat de police
– power station	– centrale électrique
STATIONER (n)	papetier
– stationer's (shop)	– papeterie
STATIONERY (n)	papier et petits articles de bureau
– office stationery	– fournitures de bureau
STATUTE (n)	loi, ordonnance votée par le Parlement
– statute book	– code
– statute law	– droit écrit
	(F) statut = (E) (position) status, (règlements) statutes
STEWARD (n)	régisseur; (bateau, avion) steward; (collège) intendant, économe
– stewardship	– intendance, économat
STOCK (n)	réserve, provision, stock; (bourse) action(s), valeurs, titres; cheptel; tronc, souche; race, lignée
– stock of plays	– (théâtre) répertoire
– stock phrase	– phrase toute faite; cliché
– government the stocks	– fonds d'Etat
– stock list	– cours de la bourse
– stock option	– (US) droit (préférentiel) de souscription
– stock car	– (chemin de fer) wagon à bestiaux; (voiture) stock-car
– to be on the stocks	– (bateau) être sur cale
– stocks	– (histoire) pilori
STOMACH (n)	estomac; ventre; envie, goût, (sens figuré) coeur

– I have no stomach for this journey – je n'ai aucune envie de faire ce voyage

STOMACH (v) — (sens figuré) avaler, digérer, tolérer
– I can't stomach it any longer – j'en ai plein le dos
(F) estomaquer = (E) to flabbergast, to stagger

STOMP (v) — marcher ou dancer lourdement
– to stomp in / out – entrer / sortir d'un pas lourd et bruyant
(F) s'estomper = (E) to blur, to dim

STOP (n) — arrêt, halte; escale; (musique) clef; (ponctuation) point
(F) faire du stop = (E) to hitch

STOPPAGE (n) — arrêt, suspension, interruption; grève; obstruction, engorgement; (médecine) occlusion
(F) stoppage = (E) invisible mending

STORE (n) — provision, réserve; approvisionnement; entrepôt; magasin
(F) store = (E) blind, shade

STORE (v) — emmagasiner; mettre en réserve; stocker

STRANGE (adj) — singulier, bizarre; inconnu
– I never sleep well in a strange bed – je ne dors jamais bien dans un autre lit que le mien

STRANGER (n) — inconnu; étranger à un endroit; (droit) tiers
– a stranger to politics – un novice en matière de politique
– she is no stranger to misfortune – elle a déjà eu bien des malheurs
– you are quite a stranger ! – (familier) tiens, un revenant !
– I don't know the way, I am a stranger here – je ne connais pas le chemin, je ne suis pas d'ici
– Strangers' Gallery – (Parlement) tribune réservée au public
(F) étranger (d'un autre pays) = (E) foreigner, (administratif) alien

STRESS (n) — contrainte, pression; stress; insistance, accent; accent tonique; effort, tension
– the teacher laid particular stress on the need for accuracy – le professeur insistait particulièrement sur la nécessité de la précision

- the stresses and strains of modern life — toutes les pressions et les tensions de la vie moderne
- the stress acting on a metal — l'effort qui agit sur un métal

STRESS (v) — insister sur; faire ressortir; appuyer, accentuer; (technique) fatiguer, faire travailler

- he stressed the need for careful spending — il insista sur la nécessité de dépenser à bon escient
- this word is stressed on the first syllable — dans ce mot l'accent tombe sur la première syllabe

(F) il me stresse = (E) he makes me feel tense

STRIP (n) — bande, bandelette; ruban; bras (de mer); abréviation de **STRIPTEASE**

- landing strip — piste d'atterrissage
- strip cartoon — bande dessinée
- strip lighting — (GB) éclairage fluorescent
- strip mining — (US) extraction à ciel ouvert

STRIP (v) — (se) déshabiller; démeubler, vider; démonter complètement; dépouiller; enlever; arracher

- to strip a company of its assets — cannibaliser une société

STRUCTURAL (adj) — structural; structurel; relatif à la construction

- structural alterations — modifications aux parties portantes
- structural iron — charpentes métalliques

STRUCTURE (n) — structure; (construction) ossature, carcasse, armature; édifice, ouvrage d'art

STUDIOUS (n) — studieux, appliqué, sérieux; attentif à, empressé

- with studious politeness — avec une politesse étudiée

STUDY (n) — étude(s); bureau, cabinet de travail; (archaïque) soins, attention(s)

- study hall teacher — (US) surveillant d'étude
- to be in a brown study — être perdu dans de vagues rêveries
- his face was a study — (humoristique) il fallait voir son visage

SUAVE (adj) — affable; doucereux, mielleux, onctueux

- suave manners — manières doucereuses

SUAVITY (n) — affabilité; politesse mielleuse

SUBSCRIPTION (n)	souscription; cotisation; abonnement
– to pay one's subscription	– verser sa cotisation; régler son abonnement
SUBSIDE (v)	s'affaisser, se tasser; s'affaler; s'apaiser
	(F) subsidier = (E) to subsidize
SUBSIDENCE (n)	affaissement, effondrement, tassement
– road liable to subsidence	– chaussée instable
SUBSIDIARY (n)	filiale (détenue à au moins 50 %)
SUBSISTENCE (n)	existance; subsistance
SUBSTANTIAL (adj)	important; considérable; substantiel; riche, qui a du bien, solidement établi; réel
– substantial agreement	– accord sur l'essentiel
– substantial difference	– différence sensible
– substantial meal	– repas copieux
SUBSTITUTE (n)	remplaçant(e); intérimaire; succédané
– beware of substitutes	– se méfier des contrefaçons
	(F) substitut = (E) surrogate, (droit) deputy public prosecutor
SUBTLE (adj)	subtil, fin, astucieux
SUBTLETY (n)	finesse, délicatesse; astuce
SUBWAY (n)	(GB) passage souterrain; (US) métro
SUCCEED (v)	réussir; succéder à
– nothing succeeds like success	– un succès en entraîne un autre
SUE (v)	poursuivre en justice; solliciter
– to sue sb for divorce	– entamer une procédure de divorce contre qn
– to sue for peace	– (littéraire) solliciter la paix
	(F) suer = (E) to sweat
SUEDE (n)	daim
	(F) la Suède = (E) Sweden
on **SUFFERANCE**	par tolérance

(F) être en souffrance = (E) (marchandise) to be held up, (dossier) to be pending

SUFFICIENCY (n) — quantité suffisante
- to have a sufficiency — être dans l'aisance

(F) suffisance (vanité) = (E) self-importance

SUICIDE (n) — suicide; suicidé(e)

SUIT (n) — costume, tailleur, ensemble; procès; poursuite; (solennel) demande, pétition, requête

SUIT (v) — convenir, être approprié à, bien aller; adapter
- it suits her beautifully — cela lui va à merveille
- to suit the action to the word — joindre le geste à la parole

SUITCASE (n) — valise, mallette

SUITE (n) — mobilier; suite (dans un hôtel); escorte

(F) suite = (E) (qui suit) continuation, sequel; (conséquence) result; (math) sequence

SUMMERY (adj) — d'été, estival

SUPERANNUATED (adj) — en retraite, retraité; démodé; suranné

SUPPLIER (n) — fournisseur; approvisionneur

SUPPLY (adv) — avec souplesse

SUPPLY (n) — provision, réserve, stock; approvisionnement, fourniture, ravitaillement; alimentation; (au pluriel) provisions, réserves, vivres, crédits; remplaçant(e)
- supply and demand — l'offre et la demande
- to be on supply — faire des remplacements

SUPPLY (v) — fournir; approvisionner; pourvoir; alimenter, ravitailler; suppléer à, remédier à; subvenir à; compenser
- a battery is not supplied with the torch — la torche est livrée sans pile

(F) supplier = (E) to beseech

SUPPLY for (v) — remplacer

SUPPORT (n) — appui, soutien; (construction) support
- he spoke in support of the motion — il a parlé en faveur de la motion

SUPPORT (v) — soutenir, appuyer, être en faveur de; faire vivre financièrement; (rare) tolérer, supporter
- he has a wife and three children to support — il doit subvenir aux besoins de sa femme et de ses trois enfants

(F) supporter = (E) to bear

SUPPORTER (n) — (technique) soutien; défenseur, adepte, partisan; (sport) supporter

SUPPRESS (v) — supprimer, mettre fin à; réprimer; ne pas révéler, tenir secret, dissimuler; faire taire
- suppressed excitement — agitation contenue
- to suppress a cough — réprimer une envie de tousser

SUPPRESSION (n) — suppression; répression; étouffement; dissimulation; interdiction; (psychologie) refoulement; (radio) antiparasitage
- the suppression of the revolt took a mere two days — il ne fallut que deux jours pour mater la révolte

SURETY (n) — caution; garant(e); (archaïque) certitude
- to stand surety for sb — se porter garant de qn

(F) sûreté = (E) safety

SURF (n) — vagues déferlantes; ressac; brisants; écume; embrun
- surfboard — planche de surf

(F) surf = (E) surfing

SURFEIT (n) — excès, surabondance; satiété; dégoût, nausée
- to have a surfeit of — être rassasié de

be SURFEITED with (v) — se gorger de qch jusqu'à la nausée
- to be surfeited with pleasure — être repu de plaisir

(F) surfait = (E) overrated; overpriced

SURGE (n) — mouvement puissant; montée; lame, houle
- a surge of anger — une vague de colère

SURGE (v)	s'enfler, déferler; être houleux; se soulever
– a surging mass of demonstrators	– une foule de manifestants qui déferlaient
	(F) surgir = (E) to appear suddenly, to arise
SURGEON (n)	chirurgien
– Surgeon General	– (armée) général-médecin; (US) ministre de la Santé
	(F) surgeon = (E) sucker
SURNAME (n)	nom de famille
	(F) surnom = (E) nickname
be SURNAMED (v)	avoir comme nom de famille
	(F) surnommer = (E) to (nick)name
SURVEY (n)	aperçu, vue d'ensemble, vue générale; tour d'horizon; enquête; étude; levé, relevé; visite d'expert, inspection, expertise
– survey of public opinion	– sondage d'opinion
– survey course	– (US) cours d'initiation
SURVEY (v)	contempler, embrasser du regard; passer en revue; inspecter, faire l'expertise de; arpenter, effectuer un relevé
– the book surveys the history of ...	– le livre passe en revue l'histoire de ...
– surveying	– inspection, examen; arpentage, levé; typographie; hydrographie
	(F) surveiller = (E) to keep watch on
SURVEYOR (n)	inspecteur, expert; arpenteur, géomètre; topographe; hydrographe
– surveyor of taxes	– inspecteur des contributions
SUSCEPTIBLE (adj)	sensible; influençable, impressionnable; susceptible, ombrageux
– susceptible to disease	– prédisposé à une maladie
SUSPENDERS (n pl)	jarretelles; fixe-chaussettes; (US) bretelles (= GB braces)
SWEDE (n)	rutabaga; (avec majuscule) Suédois

SYMPATHETIC (adj) — compatissant; dictée par la solidarité; compréhensif; (anatomie) sympathique

- sympathetic audience — auditoire bien disposé
- sympathetic words — paroles de condoléances
- they were sympathetic but could not help — ils ont compati mais ils n'ont rien pu faire pour aider

(F) sympathique = (E) nice, friendly, likeable

SYMPATHIZE (v) — être de tout coeur avec qq, être sur la même longueur d'ondes, bien comprendre

- I sympathize with you in your grief — je compatis à votre douleur

(F) sympathiser avec qq = (E) to get on well with sbdy

SYMPATHY (n) — compassion; compréhension; solidarité

- sympathy strike — grève de solidarité
- please accept my deepest sympathies — veuillez agréer mes condoléances

(F) sympathie = (E) liking

SYNDICATE (n) — association de firmes commerciales, coopérative, syndicat; gang, association de malfaiteurs; (US, presse) agence spécialisée dans la vente par abonnement d'articles ou de reportages

(F) syndicat (de travailleurs) = (E) (GB) trade-union, (US) labor-union

SYNDICATE (v) — (US, presse) vendre ou publier par l'intermédiaire d'une agence de distribution; (radio & TV) distribuer sous licence; former un consortium; syndiquer

- to syndicate for a loan — (finance) former un consortium de prêt

SYSTEM (n) — système; organisme; organisation, méthode

- to lack system — manquer de méthode
- systems programmer — (informatique) programmeur
- systems software — (informatique) logiciel de base

TABLE (v) — (GB) soumettre (un projet), présenter une motion; (US) ajourner, reporter la discussion; dresser une liste, classifier

(F) tabler sur = (E) to reckon on, to count on

TABLE D ' HOTE — (repas) à prix fixe

TABLET (n) — plaque commémorative; tablette (de chocolat); (pharmacie) comprimé, cachet, pastille; (informatique) tablette

- tablet of soap — brique de savon

TACK (n) — petit clou; bordée; faufilure

- to get down to brass tacks — (familier) en venir au fait
- to be on the wrong tack — filer du mauvais coton

TAIL (n) — queue; pan; basque; revers (d'une pièce de monnaie), pile; (humoristique) postérieur

- tails — queue de pie

(F) taille = (E) (grandeur) size, (anatomie) waist

TAIL (v) — suivre de près, filer; couper la queue d'un animal

- to tail after sbdy — suivre qq tant bien que mal

(F) tailler = (E) to cut, to trim

TAINT (n) — infection; tache, souillure; corruption; tare

TAINT (v) — infecter, polluer, souiller; gâter, corrompre

- to be tainted — être taré
- tainted meat — viande avariée

TALC (n)	mica; talc
TALON (n)	griffe; serre
	(F) talon = (E) (anatomie) heel, (document) stub
TAN (n)	hâle, bronzage; tan
TAN (v)	hâler, bronzer; tanner (peaux)
– tanned complexion	– teint basané
– to tan the hide off sb	– battre qn à plate couture
TANK (n)	réservoir, cuve, citerne; char d'assaut, tank
TAP (n)	robinet; petit coup, petite tape
– taproom	– salle de bistrot
– beer on tap	– bière au tonneau, à la pression
– to be on tap	– être toujours disponible
– tap dancing	– claquettes
– taps	– (armée) (sonnerie de l') extinction des feux; sonnerie aux morts
TAP (v)	percer, mettre en perce (tonneau); brancher (conduite); tirer (vin); inciser (arbre); (familier) taper qn pour lui emprunter de l'argent; frapper légèrement, tapoter
– to tap a lung	– faire une ponction pulmonaire
– my phone is being tapped	– mon téléphone est sur table d'écoute
TAPE (n)	ruban, bande; (couture) ganse; bande magnétique; cassette; (sport) fil d'arrivée
– tape measure	– mètre-ruban
– tapeworm	– ver solitaire
TAPÉ (v)	attacher avec du ruban, garnir, border; enregistrer sur bande magnétique
– taped lesson	– cours enregistré sur bande
– I've got it all taped	– (familier) je sais parfaitement de quoi il retourne
TAPER (n)	bougie fine, cierge
TAPER (v)	(s') effiler; tailler en pointe; se terminer en pointe
– tapered fingers	– des doigts fuselés

TAR (n)	goudron, bitume
TAR (v)	goudronner, bitumer
– they're all tarred with the same brush	– ils sont tous à mettre dans le même sac
	(F) être taré = (E) to be tainted; to be sickly
	(F) tarer = (E) (commercial) to tare
TARGET (n)	cible; but, objectif
– target practice	– exercice de tir (à la cible)
– target price	– prix indicatif
– the programme is bang on target	– le programme est complètement réalisé
	(F) targette = (E) bolt
TARMAC (n)	macadam goudronné; piste d'envol
TART (adj)	acidulé, aigrelet; piquant, acerbe
– tart comment	– commentaire acerbe
– her tart reply upset me	– j'ai été déconcerté par le le ton acide de sa réplique
TART (n)	tarte, tartelette; tourte; (familier) putain, poule
TASTE (n)	goût, saveur
– taste bud	– papille gustative
– he had a taste of prison	– il a tâté de la prison
TASTE (v)	goûter à/de, déguster, sentir
– to taste bitter	– avoir un goût amer
TA -TA (interj)	(GB) au revoir, salut !
	(F) tata = (E) (diminutif enfantin) auntie; (homosexuel) poof, queer, fairie,fag
TATTERS (n pl)	loques, lambeaux
TATTOO (n)	parade ou retraite militaire; tatouage
TAX (n)	taxe, impôt(s), contribution(s); charge, fardeau
– tax bracket	– tranche du barème fiscal
– taxpayer	– contribuable

– tax haven	– paradis fiscal
– tax collector	– percepteur, receveur des contributions
– it would be too much of a tax on my strength	– cela exigerait trop de mes forces
TAX (v)	taxer; frapper d'un impôt, imposer; exiger (un effort)
– I found they were taxing my patience by asking such silly questions	– je trouvais qu'ils mettaient ma patience à bout en posant des questions aussi idiotes
TAXATION (n)	taxation; imposition; fiscalité
TAXI (v)	aller en taxi; (avion) rouler au sol
– the plane taxied along the runway	– l'avion roula sur la piste d'envol
TEA (n)	thé; goûter
– high tea	– (en Ecosse) souper
– not for all the tea in China	– pas pour tout l'or du monde
TECHNICAL offence	contravention
TEETOTALLER (n)	abstinent
TEMPER (n)	humeur; tempérament, caractère; (métal) trempe
– in a fit of temper	– dans un accès de colère
– don't lose your temper!	– ne perdez pas votre sang-froid!
– to be in a good temper	– être de bonne humeur
TEMPERAMENTAL (adj)	capricieux; fantasque; qui est facilement emballé ou déprimé; naturel, inné
– temperamental ability	– capacité innée
– temperamental tendency	– tendance naturelle
– he has a temperamental dislike of sports	– il a horreur du sport depuis qu'il est tout petit
– she is temperamentally unsuited to office work	– elle est viscéralement allergique au travail de bureau
TEMPERANCE (n)	modération; sobriété; absence totale de boissons alcoolisées
– temperance society	– ligue antialcoolique

TEMPERATE (adj)	tempéré; sobre; modéré, mesuré
– temperate habits	– habitudes de sobriété
– the temperate zones of the world	– les régions à climat tempéré
– temperate plants	– plantes qui poussent dans les pays tempérés
TEMPESTUOUS (adj)	de tempête; orageux; violent, agité
TEMPLE (n)	temple; tempe
TEMPORARY (adj)	temporaire; transitoire; momentané; intérimaire; provisoire; suppléant
– temporary road surface	– revêtement provisoire
TENANT (n)	locataire
– tenant farmer	– métayer
TEND (v)	tendre à; avoir tendance à; soigner; surveiller
TENDER (adj)	tendre; délicat, fragile, sensible
– tender spot	– endroit sensible
– tender recollection	– souvenir ému
TENDER (n)	soumission, offre; (chemin de fer) tender; bateau ravitailleur; (US) gardien
– to invite tenders	– mettre en adjudication
– to be legal tender	– (monnaie) avoir cours
– tender offer	– (US) offre publique d'achat, O.P.A. (= GB takeover bid)
– machine tender	– mécanicien
– bartender	– (US) barman
TENDER (v)	présenter; faire une soumission
– the minister tendered his resignation to the Queen	– le ministre a présenté sa démission à la Reine
– several firms have tendered for the new contract	– plusieurs firmes ont fait une offre pour décrocher le nouveau contrat
– Passengers should tender the exact fare	– les passagers sont priés de préparer la monnaie juste
TENEMENT (n)	appartement ancien; maison de rapport modeste; logement ouvrier
TENET (n)	doctrine; dogme; principe

TENOR (n)	sens général, substance; cours, marche; teneur, contenu; ténor
– it seemed nothing could disturb the even tenor of our existence	– il nous semblait que rien ne pouvait troubler le cours paisible de notre existance
– I understood the tenor of his speech but not the details	– j'ai compris le sens général de son discours mais pas les détails
TENURE (n)	fait d'être titulaire, jouissance; ocupation; bail; (histoire médiévale) tenure
– the tenure of office of the President	– la durée du mandat présidentiel
– to hope for tenure	– espérer être titularisé
– tenure track position	– (US, université) poste avec possibilité de titularisation
TERCET (n)	tercet; (musique) triolet
TERM (n)	terme; période, durée; session judiciaire; trimestre scolaire; (pluriel) conditions (d'un contrat)
– term of imprisonment	– peine de prison
– terms of payment	– conditions de paiement
– term paper	– (US, université) dissertation trimestrielle
– during his term of office	– alors qu'il était en fonctions
– to dictate terms to sb	– imposer des conditions à qn
– to live on equal terms with sb	– vivre sur un pied d'égalité avec qn
TERN (n)	sterne; hirondelle de mer
TERRACE (n)	terrasse; terre-plein; rangée de maisons de style uniforme
– the terraces	– (sport) les gradins
TERRACE (v)	disposer en terrasse(s)
– terraced gardens	– jardins suspendus
– they live in a terraced house	– leur maison est attenante aux maisons voisines
	(F) terrasser = (E) (creuser) to dig out, excavate; (vaincre) to bring down, overwhelm
TESTER (n)	baldaquin, ciel de lit; (personne) contrôleur, contrôleuse; (chose) appareil de contrôle
TESTY (adj)	irritable; susceptible; grincheux
– testy remarks	– des remarques déplaisantes

TEXTBOOK (adj)	classique, typique
– a textbook case	– un exemple classique
– she tried her best to be a textbook mum	– elle fit son possible pour être une mère modèle
TEXTBOOK (n)	manuel, livre scolaire
TEXTUAL notes	notes explicatives
TICK (n)	tic-tac; moment, instant; coche, marque, pointage; crédit; mouche araignée, tique; toile à matelas, housse pour matelas
– on the tick of seven	– à sept heures tapant
– half a tick!	– un instant!
– to put a tick against a name	– cocher un nom
– to buy on tick	– acheter à crédit
	(F) tic = (E) twitch
TICK (v)	faire tic-tac; pointer, cocher
– I'd like to know what makes him tick	– je voudrais bien savoir quelle mouche l'a piqué
– to tick away	– continuer son tic-tac; (taximètre) (continuer à) tourner
– to tick off	– cocher, énumérer
– to tick over	– tourner au ralenti
	(F) tiquer = (E) to make a face, to pull an eyebrow
TICKET (n)	billet; étiquette; talon, reçu; (familier) PV, contravention; (US) liste électorale
– just the ticket!	– juste ce qu'il faut!
– I found a ticket on the windscreen	– j'ai trouvé un papillon (un PV) sur le pare-brise
– to vote a split ticket	– voter panaché
– the Democratic ticket	– la liste des candidats démocrates
TILT (n)	inclinaison, pente; critique, attaque
– at full tilt	– à fond de train
– to have a tilt at	– décrocher des pointes à
TIMBER (n)	bois brut, de construction; arbres; madrier, poutre
– timberland	– région boisée destinée à l'abattage
	(F) timbre = (E) stamp
TIMBER (v)	boiser
– timbered house	– maison en bois, chalet

TIMID (adj)	timide; timoré, craintif, peureux
TINT (n)	teinte, nuance; shampooing colorant
TIRE (n)	(US) pneu (= GB tyre)
TIRE (v)	(se) fatiguer, (se) lasser; épuiser; exténuer
– the children have really tired me out	– les enfants m'ont littéralement épuisé
TISSUE (n)	(biologie & sens figuré) tissu; serviette, mouchoir en papier; étoffe; enchevêtrement
– toilet tissue	– papier hygiénique
– face tissues	– serviettes à démaquiller
– a tissue of lies	– un tissu de mensonges
	(F) tissu (au sens propre) = (E) fabric, material
TOAST (v)	rôtir, griller, toaster; porter un toast à la santé de, arroser
– to toast one's feet	– se chauffer les pieds
TOBOGGAN (n)	toboggan; luge
– toboggan run	– piste de luge
TOIL (n)	travail pénible, labeur; (pluriel) piège, filets
– in the toils of	– dans les rets de
	(F) toile = (E) cloth, canvass
TOIL (v)	travailler dur, se donner du mal
– to toil up	– monter péniblement
TOLERABLE (adj)	tolérable; passable, potable
– the food is tolerable	– on n'y mange pas trop mal
TOLL (n)	droit de passage, péage; tintement
– tollbar / tollgate	– barrière de péage
– toll-free	– (US, téléphone) en service libre
– the tolls of the road	– les hécatombes de la route
	(F) tôle = (E) sheet metal
TOPIC (n)	sujet, thème, question, dossier
TOPICAL (adj)	d'actualité

TOPICALTY (n)	actualité
TORPEDO (n)	torpille
– torpedo boat	– torpilleur, vedette lance-torpilles
	(F) torpédo = (E) open tourer
TOT (n)	bambin, petit enfant
– a tot of whisky	– un petit verre de whisky
– just a tot	– juste une larme
TOTAL (v)	totaliser; (US) démolir
– to total a car	– (US) bousiller une voiture
TOUCH (n)	léger coup, attouchement; contact; toucher; frappe (de machine); un peu de; (rugby, football) la touche
– to get in touch with sbdy	– entrer en contact avec qn
– touchdown	– atterrissage; amerrissage
– it is touch-and-go with the sick man	– le malade oscille entre la vie et la mort
– he has made a touch	– (familier) il a tapé (emprunté de l'argent à) qn
– a touch of garlic	– une pointe d'ail
TOUCHY (adj)	susceptible, qui se froisse facilement, chatouilleux, ombrageux
TOURISTAS (n)	diarrhée; (familier) la courante
TOUT (n)	racoleur; rabatteur; vendeur ambulant
– ticket tout	– revendeur de billets au marché noir
TOUT (v)	racoler, raccrocher (les passants); revendre (au marché noir)
– the taxi drivers were touting for the hotels	– les chauffeurs de taxi racolaient des clients pour les hôtels
TRACE (v)	tracer, esquisser, dessiner, calquer; suivre la trace, remonter à la source
– to trace an animal	– suivre la piste d'une bête
– I can't trace your file at all	– je ne trouve pas trace de votre dossier
TRACEABLE (adj)	que l'on peut retrouver
TRACT (n)	étendue; gisement; lotissement; région, zône; petite brochure sur un sujet religieux ou moral, tract

- a tract of water — une nappe d'eau
- digestive tract — voies digestives
- tract house — (US) pavillon dans un lotissement

TRACTABLE (adj) docile, traitable, accommodant, souple; malléable; facile à ouvrir

TRADUCE (v) calomnier, diffamer
(F) traduire = (E) to translate

TRADUCER (n) diffamateur

TRAFFIC (n) circulation (routière, etc ...); commerce; trafic (également au sens péjoratif)

- traffic cop — (US) agent de la circulation
- drug traffic — trafic de drogue

TRAIN (n) train; rame de métro; suite, série, succession; traîne (de robe)

- trainspotter — passionné de trains
- train of thought — enchaînement d'idées
- the war brought famine in its train — la guerre amena la famine dans son sillage

TRAIN (v) former; (s') exercer, (s') instruire, (s') entraîner; dresser; braquer (arme ou caméra); aller en train

- trained teacher — professeur expérimenté
- to train a plant along a wall — faire grimper une plante le long d'un mur
- the firemen trained their hoses on the burning building — les pompiers dirigaient leurs lances vers le bâtiment en feu

TRAINEE (n) stagiaire; (US) jeune recrue

- traineeship — stage d'emploi; formation

(F) traînée = (E) (femme) slut, (technique) drag

TRAINER (n) responsable de la formation en entreprise; entraîneur; dresseur; soigneur; dompteur; simulateur de vol; chaussure de sport

- trainer-aircraft — avion-école

TRAIN -OIL (n) (archaïque) huile de baleine, thran

TRAITOR (n) traître

- to turn traitor — passer à l'ennemi

TRAM (n)	tram; (mine) berline, wagonet, benne roulante
– tramway	– voie du tram
TRANCE (n)	transe, extase; hypnose; (médecine) catalepsie
TRANSCEND (v)	transcender; dépasser les bornes; aller au-delà; surpasser
TRANSFERABLE (adj)	transmissible; cessible; transférable
– transferable securities	– valeurs mobilières
– this season's ticket is not transferable	– cet abonnement est strictement personnel
TRANSFORMER (n)	(électricité) transformateur
TRANSLATION (n)	traduction; transfert; (religion) ravissement
TRANSPARENCY (n)	transparence; limpidité; diapositive
– colour transparency	– diapositive en couleur
TRANSPARENT (adj)	transparent; limpide; clair, évident
– transparent deception	– tromperie cousue de fil blanc
TRANSPIRE (v)	s'ébruiter, se répandre; se passer; exhaler; exsuder; (botanique & physiologie) transpirer
	(F) transpirer = (E) to sweat, (littéraire) to perspire
TRANSPORTATION (n)	transport; moyen de transport; transportation; déportation
TRANSPORTER bridge	pont transbordeur
TRAP (n)	piège; trappe; cabriolet; (au pluriel) bagages
– to lay a trap	– tendre un piège
– police trap	– souricière
– speed trap	– zône de vitesse contrôlée
TRAVAIL (n).	(archaïque) les douleurs de l'enfantement
TRAVESTY (n)	parodie, pastiche, simulacre; travestissement
– a travesty of justice	– un simulacre de justice
	(F) travesti = (E) fancy dress

TREAT (n) — partie de plaisir; petite fête; cadeau
- what a treat! — quelle aubaine!
- this is to be my treat — c'est moi qui régale

TREAT (v) — traiter de qch avec qn; soigner; régaler, payer à boire à
- to treat oneself to something — s'offrir, se payer qch

(F) traiter qch = (E) to deal with sth

TRENCH (n) — tranchée; fossé; canalisation
- trench fever — typhus

(F) trench = (E) trench-coat

TREPIDATION (n) — vive inquiétude; agitation

(F) trépidation = (E) vibration; flurry; whirl

TRESPASS (v) — enfreindre, transgresser; s'introduire sans autorisation sur la propriété de qn
- "no trespassing" — "entrée interdite", "propriété privée"
- to trespass on sb's preserves — marcher sur les plates-bandes de qn

(F) trépasser = (E) to pass away

TRESPASSER (n) — personne en infraction avec la loi; intrus; (archaïque) pécheur, pécheresse
- "trespassers will be prosecuted" — "défense d'entrer sous peine d'amende"

(F) trépassé = (E) deceased, departed

TRIBUNE (n) — tribune; tribun

TRIER (n) — personne qui fait toujours son possible, qui est persévérante
- he's a trier — il fait toujours de son mieux

TRILLION (n) — billion

TRIM (v) — arranger, mettre en ordre; orner, parer; rafraîchir; tailler (un arbre); équilibrer un bâteau
- to trim a store window — (US) décorer une vitrine de magasin

(F) trimer = (E) to slave away, to drive hard

TRIMMER (n)	linçoir; trancheuse (pour le bois); (électricité) condensateur d'équilibrage, trimmer; (personne) opportuniste
TRIP (n)	excursion; voyage; faux pas; croc-en-jambe; (drogue) trip
– to have a bad trip	– faire un trip qui tourne mal
TRIPLET (n)	triplé, trijumeau, trijumelle; tercet; (musique) triolet
TRIPOS (n pl)	à Cambridge, l'équivalent des examens de licence
TRIPPER (n)	excursionniste
– in summer the seaside towns are full of day trippers	– en été les villes de la côte sont remplies de gens qui viennent pour la journée
TRIVIAL (adj)	insignifiant, sans importance, futile, banal; superficiel
– the trivial round	– le train-train quotidien
	(F) trivial = (E) coarse, rude; commonplace
TRIVIALITY (n)	bagatelle; banalité
– trivialities	– des petits riens
TROLLEY (n)	trolley; chariot
– a shopping trolley	– un chariot pour les achats
TROOPER (n)	simple soldat dans la cavalerie ou les blindés; (US) membre de la State Police Force
– swearing like a trooper	– jurer comme un charretier
TROUBLE (n)	peine, chagrin; ennui(s); dérangement; désagrément; conflits, troubles
– what's the trouble ?	– qu'est-ce qui ne va pas ?
– money troubles	– soucis d'argent
– labour troubles	– conflits sociaux
– trouble spot	– point de conflit
– to get into trouble	– s'attirer des ennuis
– to take the trouble	– se donner la peine
– there's trouble at the factory	– ça chauffe à l'usine
TROUBLE (v)	tourmenter; inquiéter; gêner; (se) déranger; ennuyer

– don't trouble about it !	– ne vous inquiétez pas de cela !
– his eyes trouble him	– ses yeux lui posent des problèmes
TROUBLESHOOTER (n)	(crise) expert; (conflit) médiateur; (voiture) spécialiste
TRUANT (n)	élève absent de l'école sans permission
– truant officer	– (US) fonctionnaire chargé de veiller au respect des règlements de la scolarisation
– to play truant	– faire l'école buissonnière
	(F) truand = (E) crook, gangster, (US) mobster
TRUCK (n)	troc, échange; paiement en nature; (US) produits maraîchers; camelote; articles divers; chariot à bagages; diable; wagon à marchandises ouvert; (US) camion (= GB lorry)
– breakdown truck	– dépanneuse
– truck stop	– (US) restaurant de routiers
– truck farm	– (US) jardin maraîcher
– I have no truck with him	– je n'ai rien à faire avec lui
	(F) truc = (E) trick
TRUCK (v)	(vieilli) troquer; (US) camionner
TRUCKAGE (n)	(US) camionnage
	(F) truquage = (E) rigging, faking, fixing
TRUCKER (n)	camionneur, routier
TRUCULENT (adj)	féroce; brutal, agressif
	(F) truculent = (E) vivid, colourful
TRUMP (n)	(archaïque) trompette; (cartes) atout; chic type
– he always turns up trumps	– il a toujours de la chance
TRUMP (v)	forger; inventer
– he was sent to prison on a trumped-up charge	– on l'a envoyé en prison sur base d'une accusation forgée de toutes pièces
TRUMPERY (n)	camelote; pacotille; bêtises
	(F) tromperie = (E) deception, deceit, trickery
TUB (n)	bac; bacquet; baignoire

TUBE (n)	tube; chambre à air; métro (en particulier celui de Londres)
– a tube station	– une station de métro
TUBER (n)	tubercule
TUITION (n)	cours; enseignement
– tuition fees	– minerval
TURBULENT (adj)	tumultueux; turbulent; agité
TURF (n)	turf; gazon; tourbe; (US) territoire réservé
– on the turf	– (familier) sur le trottoir
TURKEY (n)	dindon; dinde; balourd; (US, théâtre) four; (avec majuscule) la Turquie
– red as a turkey-cock	– rouge comme une pivoine
– to talk turkey	– (US, figuré) parler franc
TUTOR (n)	professeur particulier; précepteur; (GB, université) directeur d'études; (prison) éducateur (F) tuteur = (E) guardian
TWIST (n)	torsion; entorse, foulure; tournant; tournure; (danse) twist
TYPE (n)	type; genre, espèce, sorte; marque, modèle; caractère d'imprimerie
– to be type-cast as	– être enfermé dans le rôle de
TYPE (v)	classifier; taper à la machine, dactylographier
– the doctor was unable to type the rare disease	– le médecin n'est pas parvenu à déterminer de quelle maladie rare il s'agissait

ULTERIOR motive	motif secret; arrière-pensée
ULTIMATE (adj)	suprême; fondamental; final, définitif, ultime; le plus éloigné
– ultimate decision	– décision définitive
– ultimate truth	– vérité fondamentale
– the ultimate weapon	– l'arme suprême
– the ultimate frontiers of knowledge	– les confins du savoir
UMBRELLA (n)	parapluie (F) ombrelle = (E) sunshade, parasol
UNION (n)	union; abréviation courante de **TRADE / LABOR UNION** (voir ci-après); (US, avec majuscule) l'état fédéral
– trade union (GB) labor union (US)	– syndicat
– Union Jack	– le drapeau britannique

N.B.: Pour tous les mots commençant par le préfixe privatif **UN-** , consulter d'abord le mot sans préfixe

UNEMPLOYED (adj)	chômeur; sans travail
URBANE (adj)	courtois, poli; distingué (F) urbain = (E) urban

URBANITY (n)	raffinement; politesse, urbanité; élégance
URGE (v)	pousser; encourager, exhorter; conseiller fortement, insister
USABLE (adj)	utilisable
– no longer usable	– hors d'usage
USE (v)	utiliser; se servir de; consommer
– this stove uses too much coal	– ce poêle consomme trop de charbon
– he used to come every Sunday	– dans le temps, il venait tous les dimanches
– I can't get used to it	– je n'arrive pas à m'y faire
	(F) user = (E) to wear out, to wear down
UTILITY (n)	utilité; (entreprise de) service public

VACANCY (n)	chambre à louer; poste vacant ou libre, vacance; absence d'idées, esprit vide, stupidité
– vacancy for a typist	– on cherche une dactylo
– no vacancies	– complet
	(F) vacances = (E) holiday(s), (US) vacation
VACANT (adj)	libre, disponible, vacant; vide, creux; vague; inoccupé, désoeuvré distrait, rêveur
– with a vacant expression on his face	– son visage était sans expression
– with vacant possession	– (droit) avec jouissance immédiate
VACATION (n)	(GB universités & US) vacances; (droit) vacations ou vacances judiciaires
VALID (adj)	valable; solide; bien fondé; (droit) valide
– a train ticket valid for three months	– un billet de chemin de fer valable trois mois
	(F) valide = (E) able, fit
VALISE (n)	sac de voyage; mallette
	(F) valise = (E) (suit)case
VALO(U)R (n)	courage, bravoure, vaillance
	(F) valeur = (E) value, price, merit; (bourse) security
VALVE (n)	valve; soupape; valvule
– valve horn	– cor à pistons

VAMP (n) — vamp; (chaussure) empeigne; accompagnement tapoté

VAPOR (v) — (US) fanfaronner

VAPO(U)R (n) — vapeur; buée
- vapour trail — (aviation) traînée de vapeur

VARIANCE (n) — désaccord, différend, discorde; divergence, variation; (math) variance
- what he did was at variance with his earlier promises — ce qu'il a fait ne correspondait pas à ce qu'il avait promis auparavant

VAULT (n) — (architecture) voûte; cave; chambre forte; saut
- a wine vault — une cave à vin
- my money is lying in the vaults of the bank — mon argent se trouve dans la salle des coffres de la banque

VAULT (v) — sauter
- the thief vaulted over the wall and ran away — le voleur sauta par-dessus le mur et s'enfuit

VEGETABLE (n) — légume; végétal, plante; (personne) épave
- since she suffered brain damage she has just been a vegetable — depuis sa commotion cérébrale, elle n'a plus l'usage de toutes ses facultés

VEIL (n) — voile, voilette

(F) veille = (E) wakefulness, watch; the day before

with a VENGEANCE — à outrance; furieusement; avec emportement; pour de bon
- it is raining with a vengeance — il pleut de plus belle

VENT (n) — trou, orifice; fente; tuyau; cheminée
- vent glass — déflecteur
- to give vent to one's grief — donner libre cours à sa douleur

(F) vent = (E) wind

VENT (v) — pratiquer un trou dans; décharger (son trop-plein)
- to vent one's anger on sb — passer sa colère sur qn

VENTURE (n)	entreprise, projet; voyage aventureux
– a risky venture	– une aventure hasardeuse
– at a venture	– au hasard
– venture capital	– capital-risques, capital à risque
– joint venture	– entreprise commune; collaboration commerciale
VENTURE (v)	(se) risquer (à)
VENUE (n)	lieu de rendez-vous; (justice) lieu du jugement
– the venue of the meeting is ...	– la réunion aura lieu à ...
– to change the venue	– renvoyer l'affaire devant une autre cour
	(F) venue = (E) arrival, coming
VERBAL translation	traduction littérale
VERBALIZE (v)	exprimer; énoncer
	(F) verbaliser = (E) to book, to report
VERGE (n)	bord; bordure; bas-côté, accotement
– to be on the verge of fifty	– friser la cinquantaine
– on the verge of tears	– au bord des larmes
– living on the verge of starvation	– risquant de mourir de faim
	(F) verge = (E) stick, rod; (anatomie) penis
VERGER (n)	bedeau; huissier (à verge)
	(F) verger = (E) orchard
VERSATILE (adj)	aux talents variés; encyclopédique; d'une grande souplesse d'utilisation
– he's a versatile writer	– il écrit dans tous les genres
– nylon is a versatile material	– le nylon est un tissu aux usages multiples
	(F) versatile = (E) fickle, changeable
VERSATILITY (n)	souplesse, faculté d'adaptation; universalité d'esprit
	(F) versatilité = (E) fickleness, changeability
VERSE (n)	vers; couplet; strophe; poème; verset
VESSEL (n)	navire, vaisseau; vase, récipient
VEST (n)	(femme) chemise américaine, (GB) tricot de corps; (US) gilet
	(F) veste = (E) jacket

VESTMENT (n)	vêtement sacerdotal; habit de cérémonie
VESTRY (n)	sacristie; conseil paroissial
VETERAN (n)	vétéran; (US) ancien combattant
– veteran car	– vieille voiture
– Veterans' Administration	– (US) Ministère des anciens combattants
– Veterans' Day	– le 11 novembre
VEX (v)	contrarier, tourmenter, ennuyer, fâcher
– vexed question	– question controversée
– we live in vexed times	– nous vivons une époque difficile
	(F) vexer = (E) to hurt, to offend
VEXATION (n)	ennui, tracas
	(F) vexation = (E) humiliation
VIAND(S) (n)	aliments
	(F) viande = (E) meat
VICAR (n)	curé
	(F) vicaire = (E) curate
	(*mais*: vicaire du Christ = the vicar of Christ)
VICE (n)	vice; étau
– vice-ring	– bande de criminels
– vice-squad	– brigade des moeurs
VICIOUS (adj)	vicieux, pervers; corrompu; dangereux; cruel
– vicious criticism	– critique méchante
– a vicious-looking knife	– un couteau qui a l'air dangereux
VICTOR (n)	vainqueur
VICTUALLER (n)	fournisseur (de vivres)
– licensed victualler	– patron ou gérant d'un pub
VIE (v)	rivaliser; disputer qch à qn
– they are vying for the lead	– ils se disputent le commandement
– they are vying with each other to make the fastest crossing	– ils sont en compétition pour réaliser la traversée la plus rapide
VIEW (n)	vue; regard; aperçu, exposé; façon de voir, opinion

– a bird's eye view	– un très large aperçu
– in my view	– à mon avis
– in view of the circumstances	– en raison des circonstances
– with a view to facilitating research	– en vue de faciliter les recherches
	(F) vu, étant donné = (E) in view of
	(F) en vue de = (E) with a view to
VIGIL (n)	veille, veillée; manifestation silencieuse
– they spent an all night vigil by the sick woman's bedside	– ils veillèrent toute la nuit au chevet de la malade
– to hold a vigil	– manifester en silence
VIGILANTE (n)	membre d'un groupe d'autodéfense
VIGNETTE (n)	vignette; photo en dégradé; esquisse de caractère
	(F) vignette (automobile) = (E) (GB) road tax disc, (US) annual license tag
VILE (adj)	vil; abominable; exécrable; infâme
– he's in a vile temper	– il est d'une humeur massacrante
VILLAIN (n)	scélérat, gredin, bandit, vaurien
– you little villain!	– petit coquin !
– the villain	– (au spectacle) le mauvais, le méchant, le coupable
VIM (n)	vigueur, énergie; entrain
– full of vim	– plein d'entrain
VINDICATION (n)	défense; revendication; justification
	(F) vindicte = (E) condemnation
VINE (n)	vigne; plante grimpante ou rampante
VINTAGE (n)	vendange, récolte; année, millésime
– vintage car	– voiture d'époque (entre 1919 et 193O)
– vintage wine	– grand vin
VIOL (n)	viole
	(F) viol = (E) (femme) rape, (temple) violation
VIOLA (n)	(violon) alto
VIRGULE (n)	(ponctuation) barre oblique (/)
	(F) virgule = (E) comma

VIRTUAL (adj)	de fait; effectif; réel; (physique & philosophie) virtuel
VIRTUALLY (adv)	effectivement; pratiquement; quasiment
VIS-A-VIS (n)	homologue
VIS-A-VIS (prép)	vis-à-vis de; en comparaison de; par rapport à
VISIT (v)	aller voir, visiter; rendre visite à; inspecter; (archaïque) punir;
– to visit the sins of the fathers upon the children	– faire retomber les péchés des parents sur la tête de leurs enfants
VISIT with (v)	(US) faire la causette
– she loves visiting with her neighbors	– (US) elle adore tailler une bavette avec ses voisins
VISITATION (n)	tournée d'inspection; visite pastorale; visitation; épreuve, calamité, punition du ciel; (sens humoristique): visite trop prolongée
– they thought the storm was a visitation of God	– ils ont pensé que la tempête était une punition divine
VITAL (adj)	vital; essentiel; irrémédiable
– vital error	– erreur fatale
– vital statistics	– statistiques démographiques; (familier) mensurations d'une femme
VIVA VOCE (adj & adv)	oral, verbal; de vive voix, oralement
VIVA VOCE (n)	(GB, université) épreuve orale, oral
VOCATIONAL (adj)	professionnel
– vocational course	– stage de formation professionnelle
VOICE box (n)	larynx
VOLATILE (adj)	volatil(e), versatile; pétillant; vif; volage, inconstant, fugace
– volatile political situation	– situation politique explosive
	(F) *un* volatile = (E) a winged / feathered creature
VOLE (n)	campagnol
– water vole	– rat d'eau

VOLLEY (n) volée; salve; grêle; bordée
- to fire a volley – tirer une salve

(F) volley = (E) volleyball

VOLUNTARY (adj) volontaire, spontané; bénévole; facultatif
- voluntary liquidation – (finance) dépôt de bilan
- voluntary hospital – (US) hôpital de l'assistance publique

VOLUNTARY (n) morceau d'orgue

VOLUNTEER (v) offrir ou donner de son propre gré; s'engager comme volontaire; dire spontanément
- he volunteered a statement to the police – il a fait une déposition à la police de son plein gré

VOTE (n) vote; scrutin; voix, suffrage; droit de vote
- to carry a vote – adopter une résolution
- young people are given the vote at the age of 18 – on accorde le droit de vote aux jeunes à l'âge de 18 ans

VOTER (n) électeur
- this policy will not appeal to the voter – cette politique ne séduira pas l'électeur

VOYAGE (n) voyage en mer

(F) voyage (en général) = (E) journey, trip

VOYAGE (v) voyager en mer, naviguer

(F) voyager = (E) to travel

VOYAGER (n) passager (sur un bateau); navigateur

(F) voyageur = (E) traveller

VULGAR (adj) vulgaire, grossier; ordinaire, courant, commun
- vulgar error – erreur fréquente
- vulgar fraction – fraction ordinaire
- the vulgar tongue – la langue commune

VULGARIZATION (n) vulgarisation; fait de rendre vulgaire

VULGARIZE (v) vulgariser, populariser; rendre vulgaire; (archaïque) abîmer

WAGGON, WAGON (n) — chariot; fourgon; wagon à marchandises
- to be on the (water) wagon — ne pas boire de boissons alcoolisées

(F) wagon (de voyageurs) = (E) carriage, (US) car

ZEBRA crossing — passage pour piétons

fly at ZERO altitude (v) — voler en rase-mottes
ZERO hour — l'heure H
ZERO rated — exempt de TVA

ZEST (n) — zeste; saveur, goût; piquant; élan, entrain, enthousiasme
- zest for living — goût de la vie
- to eat with zest — manger avec appétit
- it adds a zest — cela relève le goût

ZONE (n) — zône; (poétique) ceinture
- the frigid zones — les zônes froides (de la terre)

Bibliographie

ADAM, J.H., *Longman Dictionary of Business English*, Harlow, Longman, 1982

FOWLER, H.W. & FOWLER, F.G., *The Concise Oxford Dictionary of Current English*, London, Oxford University Press, 1976 (sixth edition)

Harrap's New Standard Dictionary : French – English/English–French (4 vol), London & Paris, Harrap & Bordas, 1980 (completely revised and enlarged edition).

HILL, R.J., *A Dictionary of False Friends*, London & Basingstoke, The Macmillan Press Ltd, Meeds, 1982

HORNBY, A.S., *Oxford Advanced Learner's Dictionary of Current English*, London, Oxford University Press, 1987 (third edition, twenty-fifth impression)

KOESSLER, Maxime, *Les faux amis des vocabulaires anglais et américain*, Nouvelle édition refondue et augmentée de l'ouvrage : *Les faux amis ou les pièges du vocabulaire anglais*, Paris, Librairie Vuibert, 1975

Longman Dictionary of Contemporary English, Bath, Longman, 1987 (new edition)

MARCHETEAU, M.; BERMAN, J-P.; BELLOUS, CH.; DAHAN, L., SAVIO, M., *Dictionnaire de l'anglais économique et commercial*, Paris, Presses Pocket, 1980

The Merriam-Webster Dictionary, New York, Pocket Books, 1974

Le Petit Robert 1, dictionnaire alphabétique et analogique de la langue française, Paris, Dictionnaires Le Robert, 1987 (édition pour 1988)

Le Robert & Collins, dictionnaire français - anglais & anglais - français, Paris & Glasgow, 1987 (2e édition)

Composition : Micro-Compo, B-1350 Limal